£2

FFLAMIO

ANN PIERCE JONES

FFLAMIO

CYSTADLEUAETH GWOBR GOFFA DANIEL OWEN
EISTEDDFOD GENEDLAETHOL FRENHINOL CYMRU, 1999

Argraffiad cyntaf—Awst 1999

ISBN 1 85902 709 1

ⓗ Ann Pierce Jones

Mae Ann Pierce Jones wedi datgan ei hawl dan Ddeddf
Hawlfraint, Dyluniadau a Phatentau 1988 i gael ei chydnabod
fel awdur y llyfr hwn.

Dymuna'r cyhoeddwyr gydnabod cymorth
Adrannau Cyngor Llyfrau Cymru.

Argraffwyd yng Nghymru gan
Wasg Gomer, Llandysul, Ceredigion

I Mam

am fod yn fam wahanol iawn i un Ilid,

ac er cof am Dad

1

Taflodd Ilid ei hun ar wely ei merch a chwydu ei gofid drosto.

– Maia!

Gwthiodd ei hwyneb i'r cwrlid pinc a mygu yn sent ei chroen a'i gwallt. O, ei gwallt! Teimlodd rywbeth caled yn erbyn ei chlun ac estynnodd ei llaw i'w dynnu allan. Y blydi brws gwallt! Heblaw am hwnnw! Roedd yn faen tramgwydd rhyngddi hi a Maia drwy'r amser.

– Maia, lle mae dy frws di wedi mynd?

– D'wn i'm, dwi 'di chwilio yn bob man, a fedra i mo'i weld o yn *unlle*!

– Wel, fedri di ddim mynd i'r ysgol a golwg fel'na arnat ti. Nag at y doctor, nag i weld Elen, nag i'r parc.

Hi oedd wedi ei brynu iddi, wrth gwrs. Un pinc golau, a'r plastig ar ei dop ar ffurf tonnau a chrib arian arnynt. Ar y pryd, ceisio plesio yr oedd, a meddwl y buasai Maia yn lecio cael ei brws ei hun, ac yn fwy tebygol o edrych ar ôl ei gwallt.

Torrodd ton boeth o gofio trosti, a gwasgodd ei hewinedd i groen ei dwylo. O'r nef! Tynnodd yr ewinedd o'i chledrau a'u sodro i mewn i groen ei thalcen. Ar yr un pryd curodd ei choesau'n galed yn erbyn y gwely. O Iesu annwyl, o blydi hel!

– Dach chi mor arbennig o dda efo plant. Dawn naturiol.

– Agos atynt.

– Mae Megan ni'n meddwl y byd ohonoch, wyddoch chi.

– Maen nhw'n gwrando arnat ti.

– Fy Maia fach i.

7

Roedd un blewyn hir du wedi cordeddu o gwmpas pigau caled y brws o hyd. Medrai weld y sbonc, y gyrlen fel cryndod yn rhedeg drwyddo. Y gwallt hir yna'n llawn clymau oedd angen eu datod yn ofalus. Neu yn fyw o chwain, yn syth ar ôl dychwelyd i'r ysgol wedi gwyliau. Dim byd tebyg i wallt Deio, oedd wedi etifeddu gwallt glasddu, llyfn Arun. Doedd o ddim yr un ansawdd â gwallt Ilid chwaith, er mai ganddi hi y cafodd hi'r ginc, y tro, mae'n siŵr, gan fod yna natur cyrlio yng ngwallt Ilid hefyd. Ond gwallt 'ffein', digon tenau oedd ganddi hi, a'r gyrlen yn troi'n don daclus. Roedd Maia wedi cael trwch a lliw tywyll gwallt ei thad, ond gyda rhyw gythraul o gyrls oedd filwaith cryfach na thonnau destlus Ilid. Roedd o'n tyfu ar sbîd anhygoel hefyd, yn bownsio ar ei hysgwyddau a rhuthro i lawr ei chefn yn bistyll dudew. Er gwaetha'r helyntion, fedrai Ilid ddim peidio â rhyfeddu at egni dieithr gwallt ei merch. Fel Goliath, roedd nerth Maia ynddo, ac ysai Ilid yn aml am fynd â hi i'r siop trin gwallt a datgan 'Torrwch y cwbwl i ffwrdd!'

Wrth gwrs, mi oedd o yn ei mam hefyd. Roedd gan honno ben o wallt cyrls, fel na fu angen iddi fynd am 'berm' erioed yn ei bywyd. Doedd Ilid yn hidio fawr am ei mam, ond rŵan teimlai gynhesrwydd ei mam a'i thad tuag at ei phlant yn ei chyhuddo hi. Gwelai hwy'n sefyll ar y platfform yn stesion Bangor, yn codi llaw ar Maia a Deio ar ôl cael cipolwg arnynt yn ffenest y trên.

– Wel tyd yma 'nghariad i, beth am sws i Nain?

Yr unig sws yr oedd ei mam wedi ei hawlio gan Ilid oedd sws 'nos dawch', ac roedd honno wedi mynd yn angof yn fuan ar ôl iddi fynd i'r ysgol uwchradd. Erbyn heddiw teimlai cnawd ei mam yn ddieithr iawn iddi, er fod boch ei thad mor gynnes a gwydn ag o'r blaen. Dyna fo, hogan ei thad oedd hi, yn disgwyl i Dad ddod i mewn o'r beudy wedi bod yn godro cyn yr âi hi i'w gwely. Sgidiau hoelion ar lechen ac wedyn yn diasbedain ar lawr teils y gegin, a'i lais yn galw, 'Lle ma' hi 'ta? Dydi hi 'rioed wedi mynd i'w gwely heb ddeud nos dawch wrtha i?' Ambell waith cymerai arni fod yn cysgu, ei thrwyn yn cosi dan y cynfasau *flannelette*, yn barod i sbowtio allan pan fyddai sŵn ei draed wedi cyrraedd erchwyn y gwely, a'i chwerthin yn tasgu dros y lle.

Chaen nhw byth wybod. Ei mam yn rhyfeddu at amynedd di-ben-draw ei merch efo'r hogan fach benderfynol. Y rhesymu diddiwedd, mynd trwy bethau, iddi gael deall yn iawn pam nad oedd sandalau'n addas ar gyfer tro i lawr at yr afon ar fore gwlyb ym mis Chwefror.

– Rho welingtons am 'i thraed hi, ichi gael cychwyn cyn iddi ailddechra bwrw, oedd cyngor ei mam.

– Gad iddi, Grace, ma' hi'n gwbod be ma' hi'n 'neud. Tydyn nhw'n ca'l *training* yn y petha 'ma cyn dechra dysgu.

– Well iti fynd ag ambarél, Ilid, 'ta. Mae'n gwanio'n sobor.

A hithau rŵan yn gorwedd ar ei chefn ar wely cul Maia gadawodd i'w llygaid grwydro o gwmpas y stafell, yn esgyn a setlo fel pryfyn. Ochor Maia. Barbies. Tair o rai noeth, tenau yn gorwedd ar y sêt ffenest. Tair arall am ryw reswm wedi eu carcharu mewn ces bychan efo ochor dryloyw (ces doctor oedd o yn wreiddiol), a'u hwynebau yn erbyn y ffenest blastig fel môr-forynion mewn tanc. Maia yn lecio mynd â nhw am dro. Y bocs

yn llawn o ddillad doliau. Braich werdd y got weu fach
a wnaeth Nain i un o'i doliau hi. Cynffon sgleiniog *sari*,
yn laswyrdd llachar. Coes bwni. Tŷ dol, yr un bach ar
ffurf bwthyn a roeson nhw iddi ar ei phen-blwydd, a tu
ôl iddo yr un mawr a ddaeth o gartre Arun, ar ôl ei
chwiorydd. (Diwali, y llynedd. Pylodd llygaid Arun pan
welodd beth oedd yn y bocs. 'Tydi Amma ddim wedi ei
gweld hi ers pan oedd hi'n fabi.' A hithau'n methu
peidio â brathu'n ôl: 'Mae 'na awyrennau'n fflio o
India i Brydain, hefyd, wyddost ti.')

Bwrdd gwisgo Maia. Ceffyl gwydr, morfil yn neidio,
clown yn gorwedd ar ei ochor, cloc pinc, dysgl yn
orlawn o fodrwyau (y rhan fwyaf ohonynt allan o
beiriannau anrheg-am-ddeg-ceiniog), basged yn llawn o
fandiau gwallt, degau ohonynt, yn felfed a phlastig a
sbarcls a neilon a chotwm. Glas tywyll, glas brenhinol,
gwyn, coch, arian, melyn. A sleids, clips, lastig cynffon-
ceffyl. Roedd hi wedi gwario ffortiwn mewn siopau
fferyllwyr ar wallt Maia, ar ei glymu, ei rwymo, ei
ffrwyno a'i addurno.

Gormodedd. O bob dim ym mhob man. O frics
Duplo, anifeiliaid fferm ac anifeiliaid sw a phobol
bychain a thractors a cheir a moto-beics. O Playmobil.
Rhengoedd o geffylau, rhai gwyn a rhai brown, rhai du
a rhai sbotiog, pob un ohonynt yn denau fel rhaw. Plant
a dynion a merched (ond dim cymaint o ferched, mi
oedd hi wedi sylwi). Ochor Deio i'r stafell. Tractors.
Tractors efo tryciau tu ôl iddynt. Rhai mawr gloyw, rhai
wedi colli eu paent, rhai coch – llawer o rai coch, dim
ond rhai coch oedd Deio eisiau ar un adeg – rhai glas,
du, gwyrdd ac oren. Trenau. Tomos y Tanc a Pyrsi a
Henry a Gordon a'u cyfeillion newydd drud. Tryciau

a'r Intercity Express du a melyn, a'r cwbwl yn gymysg â milltiroedd o gledrau pren gwyn Brio, heb sôn am bontydd a thwneli a stesions a phentrefi a siediau a chroesffyrdd. O, roedd cledrau dwylo Ilid yn eu hadnabod nhw'n dda, wedi eu gosod a'u chwalu a'u cadw drosodd a throsodd.

Yr holl betheuach, yr holl bethau sy'n dilyn y ffaith o gael plant, dyna y methai ddod drosto. Teimlai bwysau bydysawd y plant yn drwm ar ei gwar. Sut y gwyddai hi y byddai hyn oll yn dod yn sgil y streipen fain las yn y 'prawf mamolaeth'? Y twr o gêmau igam-ogam yn cynnwys Liwdo a Theuluoedd Hapus a Misfits, degau o jigsos – o'r Smot cyntaf pedwar darn i'r un dwy fil o ddarnau – pob llyfr i blant, yn hen a newydd, yn glasur ac yn sbwriel, yn feiddgar ac yn undonog tu hwnt, pob llun o'u heiddo o'r crafiad cyntaf â chreion i batrymau cyfrifiadurol. Doedd ganddi ddim gobaith o flaen hyn i gyd. Teimlai ei hun yn fach ac yn ddiymadferth yn wyneb y llifeiriant o dedi-bêrs, y cenllysg o frics adeiladu a'r parêd o Farbies. Ac yn fwy na dim, y nhw.

Roedd y ddau ohonynt yn sâl am ei sylw. Y bychan yn crafangu drosti, ei dyrnu efo'i ddyrnau bach caled, cynhyrfus. Maia'n dal, yn denau ac yn ystwyth, yn ei chordeddu ei hun o gwmpas corff ei mam, ei thagu â chusanau, yn chwilio am ei thethi i sugno. Gadawodd i fyddin eu cariad fartsio trosti.

Neithiwr. Popeth mor ddiniwed i ddechrau. Deio'n chwarae efo'r Scrabble, yn gorwedd ar ei fol ar lawr y stafell ffrynt. Ŵyr o ddim sut i chwarae'n iawn eto. Ond mae Maia'n gwybod, ar ôl i Ilid ei dysgu ar y nosweithiau prin hynny pan oedd o wedi mynd i'w wely o'i blaen hi. Rŵan roedd o wrth ei fodd hefo'r darnau bach lliw hufen, yn eu byseddu a'u gosod ar y bwrdd. Pob un ar sgwâr, ond rhai â'u pennau i lawr ac wrth gwrs heb fod yn gwneud unrhyw fath o batrwm. Eisteddodd hithau ar lawr wrth ei ymyl, ac ymhen ychydig dechreuodd aildrefnu rhai o'r darnau.

– Fi sy'n gwneud hyn, meddai Deio.

– Ond dwi'n dy helpu di. Yli, h, i, r – hir!

– Dwi'm isio hwnna'n fanna!

A gwthiodd y llythyren 'h' o'r ffordd a gosod 'p' yn ei lle.

– P, i, r. Pir! Dydi hynna ddim yn air o gwbwl, na'di Mam? Ti'm yn gwbod sut i chwara'n iawn!

– Wel, na'di siŵr, mae o'n rhy ifanc. 'Leni mae o'n dysgu darllen.

– Mae o'n bedair oed! Mae plant pedair oed yn medru darllen. Mae Eluned Mair yn medru darllen. Ti'n gwbod hynny'n iawn!

Rhythodd yn gyhuddgar ar Ilid.

– Wel ydi, dwi'n gwbod ei bod hi, ond newydd gael ei bedair mae Deio, ac mi gafodd hi ddechrau'r ysgol yn . . .

– Waaa!

Mewn eiliad roedd y sefyllfa wedi berwi trosodd. Roedd Maia wedi gwthio'r bwrdd Scrabble efo'i throed nes yr oedd allan o gyrraedd Deio, ac yntau wedi ei chrafu nes bod hoel coch hegar ar hyd ei choes. Cyn i Ilid fedru cyrraedd yno, roedd hithau wedi rhoi bonclust iddo. Dechreuodd Deio sgrechian. Cododd Ilid ei llais.

– Maia! Ti'n gwbod yn iawn nad wyt ti ddim i daro neb ar ei ben!

– Ond sbia be 'nath o i mi! Sbia, ma' 'na waed ar 'y nghoes i! Ti byth yn poeni amdana i!

– Ond, Maia, be oedd isio i ti symud y blwmin gêm pan oedd o'n chwarae'n dawel efo hi? Pam na fedrat ti adal llonydd iddo fo?

Plygodd a rhwbio ochor pen Deio i drio distewi tipyn ar ei ddolefau.

– 'Na fo, 'na fo. Ma'n well rŵan.

– Sws.

Setlodd Deio ei hun ar lin ei fam. Heb feddwl, cyffyrddodd hithau ei wallt â'i gwefusau. Roedd ei ben yn dal i ffitio'n berffaith o dan ei gên. Cusanodd y patsh coch oedd yn dechrau cilio erbyn hyn.

– Ma' hi'n brifo, bonllefodd Maia gan godi wyneb dagreuol o'r carped. Brifo'n ofnadwy!

– O tyd yn dy flaen, dim ond crafiad oedd o. Ti'n iawn rŵan.

– NAC'DW!

Rhowliodd o gwmpas ar y llawr yn gynddeiriog.

– Rho'r gora i fyhafio fel hyn, Maia. Rwyt ti fel plentyn dyflwydd oed. Faint ydi dy oed di?

– Dwi 'di blino clywad chdi'n deud hynna o hyd!

Cododd Deio oddi ar ei glin a throtian draw at y ceir bach. Dechreuodd wneud sŵn rhuo wrth symud ei foto-beic ar hyd lonydd y mat plastig.

– Ti'n chwech oed, chwech oed, chwech oed, bob munud! Sut fasat ti'n lecio taswn i'n deud hynna wrthat ti o hyd? Dwi ddim isio bod yn chwech oed byth eto!

– Wel, Maia bach, mae'n neisiach na bod yn dri deg chwech.

Ac mi dawelodd pethau. Dechreuodd Maia wneud dipyn o sbort o'i hoed.

– Faint ydi dy oed di?

– Tri deg chwech.

– Tri deg chwech! Ti mor hen.

Chwerthin mawr.

Osgoi o drwch blewyn oedd neithiwr. Un o'r troeon hynny pan oedd rhywun wedi mentro, tynnu allan i basio o flaen pant, a gweld car arall yn dod i'w cwfwr, a chael a chael i ddod i mewn mewn pryd. Neu wedi llamu i'r llif traffig a chael cipolwg o ysgyrnygiad ar wyneb y dreifar oedd yn canu ei gorn tu 'nôl. Y brecio sydyn ar y groesffordd, bympars yn cyffwrdd yn y ciw oedd yn llusgo at y rowndabowt. Pob un ohonynt yn 'Ddiolch byth', yn rhy agos i fod yn gyfforddus, yn frathiad gwefus. Eu gwthio nhw i ben draw'r meddwl a chario ymlaen.

Tan y glec, heddiw. Rŵan roedd hi wedi gorfod stopio, gwydr ei ffenestri wedi sbydu ar draws y tarmac, goleuadau'n dipiau, gagendor yn ei hochor. Heb olwynion i fynd o'r fan. O pam heddiw, a hithau wedi codi mor hwyliog? Dim yn hwyr, dim ras, dim angen i'r cloc larwm ei physgota o ddyfnderoedd cwsg. Roedd hi ar wyneb y dŵr yn barod, yn arnofio mewn pelydr cynnes o freuddwyd – rhywbeth am hen ffrind coleg iddi, Ffion, yn gadael i'w gŵr wybod ei bod yn feichiog drwy roi cerdyn iddo efo'r geiriau 'Cariad, rwy'n disgwyl babi' wedi eu sgwennu'n binc arno. Yn y breuddwyd, gwelai syniad y cerdyn yn un da, gwreiddiol. Ond yn syth ar ôl iddi ddeffro trawyd hi gan annaturioldeb y peth. Pwy na fuasai eisiau dweud y fath newydd?

A'r syniad yn dal i'w goglais, penderfynodd fanteisio ar y cyfle i gael cawod cyn i'r plant godi. Câi olchi ei gwallt, cyfle i roi trefn arno cyn i'r gyrlan yna ddechrau dawnsio o flaen ei llygaid a'i chynddeiriogi. Tasgai'r dŵr poeth dros ei hysgwyddau. Edrychai ymlaen at y cyfarfod efo Michael Hughes, cyfarwyddwr y prosiect 'Croeso'n ôl i'r Dosbarth', a oedd wedi ei drefnu ar gyfer y bore. Câi fynd yn syth yn ei blaen ar ôl danfon y plant i'r ysgol. Siawns y byddai yna ddigon o amser i gael paned fach yn y Ganolfan Athrawon cyn y cyfarfod ei hun. Be ddylai hi wisgo? Y siwt lliw hufen fyddai'n smart. Yn rhy smart braidd, efallai, fel petai hi mewn swydd yn barod, a honno'n un reit dda! Neu fel petai hi'n trio'n rhy galed i wneud argraff dda. Sgert a blows. Y sgert ddu gwta efo'r flows wen a brodwaith arni, a'r sgarff fach sidan oedd yn asio'n berffaith efo'r lliwiau. Ond mi oedd angen smwddio'r flows.

Wrth estyn y bwrdd smwddio y gwelodd hi lyfr darllen Deio, *Rosie in the Park*, heb ei ddarllen. O'r nefi, byddai'n rhaid ei gael i wneud rhywfaint ohono cyn brecwast. Smwddio, ynte galw arnyn nhw i godi gyntaf? Aeth i waelod y grisiau a'r hetar yn ei llaw.

– Maia! Deio! Amser codi! Dowch rŵan!

Dim ymateb. Petrusodd. Mynd i fyny'r grisiau i'r llofft, ynte gobeithio ei bod wedi dechrau'r broses o'u deffro, o leiaf, a mynd yn ôl at y bwrdd smwddio? Roedd hi'n wynebu rhyw fân greisis fel hyn sawl gwaith bob dydd – eu lles hwy neu ei lles hi, amser neu hwylustod. Pam bod rhywbeth a ddylai fod yn naturiol yn gymaint o ddrama?

Penderfynodd y medrai fforddio pum munud i smwddio, yng nghwmni'r radio. Tasgodd tipyn o ddŵr dros y flows a mwynhau clywed hisian yr hetar yn llyfnu'r cotwm caled tra mwmialai Radio Pedwar yn y cefndir am beryglon i'r amgylchfyd. Yn ôl ei harfer, smwddiodd pob crych a hem yn ofalus a thrwyadl, ac erbyn iddi orffen roedd hi'n ugain munud i wyth. Rhusiodd. Rhedodd i fyny'r grisiau dan weiddi,

– Dowch yn eich blaenau, blant! Mae'n mynd yn hwyr, a Deio, dwyt ti ddim wedi darllen dy lyfr ysgol.

Tynnodd y llenni'n frysiog, herciog, a daeth yr haul i mewn fel hudlath a disgyn ar wyneb Maia. Trodd hithau drosodd.

– Na, wir, Maia, paid â mynd yn dy ôl i gysgu. Does 'na ddim amser.

Roedd Deio, oedd tipyn yn well am godi, wedi codi ar ei eistedd yn ei wely a golwg hurt arno. Tosturiodd drosto, yn deffro i gael row am beidio â darllen ei lyfr. Arni hi roedd y bai am hynny, beth bynnag, nid fo. Trawodd sws ar ei dalcen.

– Os wnei di wisgo amdanat yn syth, mi gawn ni ddarllen efo'n gilydd yn y munud. Maia, mae yna ddigon o nicyrs a festiau glân yn y drôr. Dydi hi ddim yn oer iawn heddiw, mi wneith ffrog y tro yn iawn.

Petai Maia yn dewis gwisgo ffrog, byddai cymaint yn llai o drafferth na chwilota am grys a thei a phenderfynu p'run ai cardigan neu siwmper fyddai orau efo'i sgert ysgol. Yn ddiweddar, hefyd, mi oedd hi'n mynnu clymu ei thei ei hun, a golwg bob sut arni.

– Gora po gynta pia hi heddiw. Dwi isio mynd i'r Ganolfan Athrawon i gyfarfod erbyn hanner awr wedi naw.

– Pam bod chdi isio mynd i Ganolfa Athrawon?

– Ganolfan, Maia – i weld os ca i waith fel athrawes lanw.

– Athrawes lanw? Be 'di hynny? Fyddi di'n mynd i fewn ac allan fath â'r môr?

– Wel, mi fedrai rhywun ddweud hynny, mewn ffordd, achos mi faswn i'n gweithio o dro i'w gilydd a dim . . .

Chwarddodd Maia'n afreolus.

– Fydd Mam fath â'r môr, yn llawn o wymon a thonnau a phobol yn nofio ynddi, a rybyr rings . . .

– Digri iawn wir, ond tyd o'na rŵan.

Ar adeg arall efallai y byddai wedi mwynhau'r chwarae ar eiriau a chael tipyn o sbort efo'r plant. Ond dim a hithau'n gweld ar gloc Mici Mows y llofft ei bod yn bum munud i wyth.

Ei llais yn swnio mor dynn, mor swta yn ei chlustiau rŵan.

Rowliodd Maia ei hun fel cath fach yn y gwely. Daeth ei llais allan yn aneglur.

– Dw i ddim yn mynd i wisgo amdanaf nes y bydd o wedi mynd allan o'r llofft 'ma. A chditha hefyd.

– O'r nefoedd, mi oeddech chi'ch dau yn y gawod efo'ch gilydd neithiwr. D'wn i ddim be 'di'r lol yma. Pam fod rhaid i ti fod mor ffýsi?

Roedd ei hamynedd yn treulio, fel rhaff yn rhwbio yn erbyn rhywbeth siarp.

Gan fod Deio wedi gwisgo, fwy neu lai, gadawsant iddi, a mynd i lawr i ymosod ar *Rosie in the Park* a Choco Pops. Ac ar ganol tudalen tri, mi roddodd Deio ei benelin yn y bowlen a'i gosod wedyn ar ei lyfr nes ei fod yn staeniau llefrith siocled i gyd.

– O Iesu, Deio!

Doedd hi ddim i fod i regi o flaen y plant.

– Sori, Mam.

– Be ddeudith Miss Meredith? Dos i nôl clwt; na, mi a' i, dwi'n gwbod lle mae o.

Sut goblyn oedden nhw'n mynd i gyrraedd tudalen chwech? Fedrai Deio ddim darllen ar ei ben ei hun, roedd o ei hangen hi i'w helpu efo pob *gair*. A doedd dim hanes o Maia. Ar ganol gwlychu'r clwt, clywodd ei hun yn gweiddi:

– Lle rwyt ti, Maia? Mae'n chwarter wedi wyth bron!

. . . er ei bod yn wynebu'r ffenest gefn, a olygai fod Maia'n annhebygol iawn o'i chlywed. Mae'n rhaid ei bod hi yn y toiled. A fanno fyddai hi am oesoedd, yn dynwared arferiad diflas Arun o ori ar y toiled am ddeg munud neu fwy bob bore efo llyfr neu bapur newydd, tra oedd Ilid yn cribo gwalltiau a chwilio am esgidiau.

Penderfynodd drio bwyta rhyw gegiad fach tra oedd yn helpu Deio. Torrodd frechdan denau wen a thaenodd farmalêd yn dew arni. Dyna fyddai ei thad yn ei lecio yn y bore bach, cyn iddo gychwyn allan o gwmpas y defaid. Ailgynhesodd ei the yn y meicrodon.

Roeddynt wedi cyrraedd tudalen pump pan ddaeth Maia i'r golwg. Wedi gwisgo amdani, diolch byth. Ond o, God, roedd hi wedi stwffio'i hun i'r hen binaffor yna oedd yn rhy fach iddi hyd yn oed y llynedd. Roedd y sgert fodfeddi uwchben ei phengliniau, y ceseiliau'n gwasgu, a'r flows yn rhychau oddi tani. A'r dei yn gam efo'r label yn dangos. Y cyfan yn hollol flêr a diraen yr olwg.

– O Maia, llefodd yn ddistaw.

Fel hyn yr oedd Maia efo dillad oedd wedi mynd yn rhy fach iddi. Mynnai ddal ei gafael ym mhob peth ac yn aml byddai'n ei stwffio ei hun iddynt er eu bod yn hollol anaddas. Gwrthodai'n lân adael i Ilid roi unrhyw ddilledyn ar ei hôl i ferch fach Sera, Eluned, er ei bod yn meddwl y byd ohoni. Byddai Ilid yn gorfod eu sleifio mewn bagiau plastig i'w ffrind. A rŵan difarai ei henaid na fuasai wedi rhoi'r blydi pinaffor i ffair sborion yn yr ysgol, neu ei chladdu yng ngwaelod rhyw ddrôr.

– Paid edrach felna! Mae hi *yn* ffitio! meddai Maia gan swatio ar ei stôl ac estyn am y cornfflecs.

– Ond mae 'na olwg . . .

Roedd arni eisiau dweud 'y diawl arnat ti', a'r gwylltineb yn gwingo tu fewn iddi, ond llwyddodd i ymatal wrth feddwl am y sterics a allai ddilyn.

– O, paid â ffysian, Mam.

Brysiodd Ilid i'r gegin o'i golwg, a bu agos iddi faglu dros Deio, yn ei gwrcwd ar lawr efo'i geir rasio.

– O'r nefoedd, Deio! Be wyt ti'n 'neud yn fa'ma? Dos i roi dy sgidiau yn syth bìn.

– Ond dwi'm 'di gorffan fy mrecwast.

– Wel bai pwy 'di hynny?

Wyth tri deg saith ar wyneb y meicrodon. Mi allai popeth fod yn iawn, dim ond eisiau cael y ddau i'w cotiau rŵan, taro ei chlustdlysau yn ei bag i'w rhoi yn nes ymlaen, nôl ei hesgidiau taclus o'r llofft, rhoi'r poteli llefrith allan. Cyn belled â bod y traffig yn o lew, mi fyddent yn yr ysgol erbyn deg munud i. Dyma Maia'n stwyrian yn y pasej. Heb gardigan na siwmper yn y byd.

– Dos i dy lofft reit sydyn, mae dy gardigan yn drôr ganol y *chest of drawers*, neu dy siwmper dew ar gefn y drws os 'di'n well gin ti.

Roedd gofyn rhoi cyfarwyddiau manwl achos mi oedd Maia yn anobeithiol am ddod o hyd i bethau. Hyd yn oed efo'r rhain roedd yn hollol bosibl iddi daeru nad oedd y peth yno o gwbwl, er ei bod hi wedi chwilio, wir. A wedyn Ilid fyddai'n gorfod rhoi'r gorau i chwilota drwy ei handbag am ei goriadau neu rywbeth felly, a charlamu i fyny'r grisiau, sbio yn yr union le yr oedd hi wedi ei ddisgrifio, a rhoi ei llaw yn syth ar beth bynnag yr oedd yn chwilio amdano. Er bod Ilid yn daclus ac yn trio gwneud yn siŵr fod gan bob dim ei le, a bod pob dim yn ei briod le, medrai Maia beidio â'i weld yn rhwydd iawn. Bron na fedrech ddweud y gwelai bopeth ond Y Peth Hwnnw. Roedd fel petai wedi ei rwbio allan. Roedd ar Maia angen pâr arall o lygaid i'w weld o, llygaid Mam. A dwylo Mam i'w estyn iddi.

Felly, ar ôl disgwyl am ddau neu dri munud wrth waelod y grisiau, a Deio'n dechrau anesmwytho, llamodd Ilid i fyny'r grisiau ac anelu am lofft y plant (a roedd o'n ddirgelwch iddi hi pam yr oeddent yn dewis rhannu llofft, a thŷ mor fawr ganddynt). Daeth o hyd i Maia ar y llawr yn tynnu ei sanau.

– Dydi rhain yn da i ddim. Syrthio i lawr bob munud. Well i mi roi teits.

– Teits! A hithau'n fis Mai! Dwi wedi cadw'r pethau gaeaf i gyd, a wir, Maia – O!

Rhoddodd y gorau i'r ymdrech o ymresymu a gwibiodd i mewn i'w llofft ei hun ar draws y landin, tynnu'r ddrôr-dan-gwely allan efo hergwd fawr a achosodd i honno ddod o'i lle, ac ymbalfalu'n wyllt drwy'r haenau o ddillad wedi eu plygu'n ofalus nes dod o hyd i bâr o deits glas tywyll.

– Dyma chdi! Rŵan rho rhain yn reit sydyn.

Wrth i Maia blygu i'w rhoi, sylwodd Ilid nad oedd ei gwallt wedi cael ei frwsio.

Gafaelodd yn y brws gwallt a dechrau ei dynnu drwy wallt Maia.

– Aw! Paid! Ti'n brifo fi!

– Ond fedri di ddim mynd i'r ysgol fel hyn!

Roedd y brws yn cydio yn y gwallt, yn mynd yn sownd yn ei fieri, ac aeth Maia i sgrechian o ddifri.

– Dwi wedi 'neud o!

– Nag wyt ti ddim!

– AAA!

Cafodd lond bol ar drio bod yn ofalus, ar wahanu blew, ar sbario teimladau. Tynnodd trwy'r gwallt â'i holl nerth fel combein yn mynd trwy ŷd, tynnu nes oedd gwallt Maia'n llinynnau tyn fel rhai feiolin, tynnu *s oedd ei phen yn cael ei daflu'n ôl. O'r diwedd daeth y brws yn rhydd ond wnaeth o ddim stopio; aeth ati i golbio'r sgwyddau cul styfnig, yr owtffit St Trinian's wirion yna a fyddai'n destun sbort yn yr ysgol, yr un goes noeth, a'r llall mewn teits nefi-blw Marks & Spencer ar gyfer tywydd lot oerach na hyn. Crio, crio, crio, crio eto fel am bob dim; roedd hi wedi syrffedu ar grio.

Gweld wyneb Deio yn y drws a wnaeth iddi fferru. Daeth ati a chymryd y brws o'i llaw. Meddai'n ffyrnig,

– Paid ti â brifo Maia.

Yn swp ar y llawr, daliai Maia i wylo. Plygodd Deio wrth ei hymyl.

– Tyd, Maia bach. Awn ni i lawr grisiau.

Paratodd Ilid ei hun i glywed Maia'n gweiddi ei bod yn ei chasáu, mai hi oedd y fam waethaf yn y byd, ei bod yn difetha popeth. Ond codi'n dawel ar ei heistedd wnaeth hi, a stryffaglio i roi ei throed ym mhen draw'r teits. Gwyliodd Ilid a Deio ei dwylo'n crynu a'i hanadl yn dod yn fân ac yn fuan. Teimlai Ilid y tu hwnt i bopeth, yn alltud oddi wrthi hi ei hun, mewn tir anial ac ofnadwy. Nid oedd ganddi'r hawl i ddweud dim wrth ei merch, nac i drio ei chysuro. Cododd Maia o'r diwedd. Gafaelodd Deio yn ei llaw ac aethant allan efo'i gilydd. Edrychodd yr un o'r ddau arni.

– Dwi 'di cuddiad *chewing gum* yn y car, a gei di o.

Toc clywodd eu lleisiau'n mynd allan o'r tŷ a drysau'r car yn clepian. Ymhen hir a hwyr aeth hithau i lawr y grisiau a'u danfon i'r ysgol. Cyraeddasant fel roedd y gloch yn gorffen canu.

Fedrai hi ddim aros yn y tŷ 'run eiliad yn rhagor. Cododd oddi ar wely Maia a chiciodd ei hesgidiau sodlau uchel i ffwrdd. Aeth i'w llofft ei hun gan dynnu ei dillad ar y ffordd. Gadawodd hwy bob sut ar draws y gwely yn lle hongian y sgert a'r flows. Gafaelodd mewn gwaelod tracswt henffasiwn a chrys chwys wedi colli ei liw nad oedd wedi bod amdani ers blynyddoedd. Hen bethau hyll, addas.

Gallai deimlo'r ysfa i gyffesu'n crynhoi yn ei bol. Eisiau cael taflu i fyny, cael gwared ar yr anesmwythder annioddefol yma, yr asid yn treiddio trwy leinin ei chydwybod. Ond wrth bwy y gallai ddweud? Doedd ganddi ddim ffrind digon agos, rŵan, i allu rhannu'r fath beth. Doedd y pellter a ddaeth rhyngddi a'i ffrindiau di-blant ar ôl geni Maia ddim wedi cau. A fentrai hi ddim rhoi achos i'w ffrindiau newydd o'r Ymddiriedolaeth Geni Plant – Lillian, neu Sally – weld bai, bai mawr hefyd, arni hi. Iddyn nhw gael cyfaddef fod y syniad o daro'u plant wedi croesi eu meddyliau unwaith, efallai, dair blynedd yn ôl.

Mi fuasai Arun yn deall. Yr hen Arun hwnnw roedd hi'n ei lecio gymaint ar y dechrau, efo'i sgwrs ddifyr a'i syniadau clir, herfeiddiol. Doedd dim byd y tu hwnt iddo, dim byd yn rhy ofnadwy i gael ei enwi. Y rhywbeth iachus agored yna, oedd yn nodweddiadol o ddoctor yn ei thyb hi, a apeliodd yn gryf ati. Rhyfeddai at ei allu i newid ei feddwl ar chwap os câi ei argyhoeddi gan ddadl rhywun arall. Be ddigwyddodd i hynny oll? Oedd o yn dal yno o dan haen drom o lwch priodasol, ynte a oedd y briodas ei hun wedi gwneud rhyw ddifrod, fel feirws cyfrifiadurol yn chwalu ffeiliau? O, am lol, Ilid, mae'r dyn yn wytnach peth na hynna; na, yn wahanol peth. Tebycach i feirws ei hun, yn newid i ymateb i sefyllfa newydd.

Arhosodd wrth ymyl y ffôn. Oedd o'n beth peryg i'w wneud, dan yr amgylchiadau? Efallai y medrai hi gychwyn trwy ddweud ei bod hi angen trafod Maia, eisiau ei farn ar sut i'w thrin hi. Wedi'r cwbwl, mi wyddai o'n well na neb mor anodd y medrai hi fod.

Synnwyd hi gan maint ei siom pan glywodd glic peiriant ateb Arun. Wrth gwrs, mi oedd raid i'r blydi dyn fod yn ei waith pan oedd hi ei angen. Lle blydi arall? Aeth y saib ar ôl neges fer Arun yn faith, yna baglodd y geiriau allan.

– Dwi angen sôn am Maia efo ti, Arun; wir mae hi'n ormod i mi weithia. Bore 'ma mi gawson ni ffrae ofnadwy . . . o, mi 'nes i rwbath ofnadwy . . .

Bu saib hir tra oedd peiriant ateb Arun yn recordio wylo Ilid. Gwnaeth ymdrech i'w rheoli ei hun.

– Ffonia fi'n ôl, 'nei di, dwi adra heddiw.

A gwrthddywedodd hynny'n syth drwy fynd trwy'r drws ffrynt a'i gloi ar ei hôl.

Felly nid oedd hi yno i ateb y ffôn pan ganodd hanner awr yn ddiweddarach, nac i glywed neges Mrs Stewart, y brifathrawes:

23

'Mrs Kataria, fyddech chi cystal â galw i'm gweld pan ddowch chi i nôl y plant o'r ysgol ddiwedd y pnawn. Mae rhywbeth wedi dod i'm sylw yr hoffwn ei drafod gyda chi. Diolch yn fawr.'

2

Penderfynodd Arun roi'r gorau i'r syniad o gysgu. Llawn haws gwneud i ffwrdd â'r cyffro ffrwcslyd pan ddeuai'r alwad wrth ei benelin. Haws eistedd yn erbyn y wal fel hyn a'i goesau wedi eu croesi a theimlo oerni'r plastar trwy ei grys. Roedd y blinder yno, oedd (shifft ddeg awr, ac ar ben hynny'r blydi stiwdant 'na'n galw am ei farn pan oedd o ar ei ffordd allan. Jest yn hanner awr wedi saith arno'n gadael y ward). Ond dawnsiai ei feddyliau fel pryfetach. Pen-blwydd hapus i ti. Oedd o am ddathlu? Ynte oedd o am fynd adre? Cymerodd swig o'r botel loyw, y roced fach oedd i fod i saethu tipyn o wreichion i'w ysbryd. Fyddai Ilid wedi paratoi rhywbeth? Wedi dweud wrth y plant? Cardiau bach yn y post. I Dad. Atseiniodd y canu yn ei benglog. Pen-blwydd ha-pus i Ma-ia, pen-blwydd hapus i ti. Ei pharti cyntaf yn y fflat yn Hackney. Ilid yn dangos y gacen efo'i henw mewn Smarties. Ei hail efo d'wn i'm faint o rieni pryderus yn sefyll tu ôl i gadeiriau'r plant. 'I 'neud yn siŵr 'u bod nhw'n ca'l 'u siâr o'r Hula Hoops a chrisps,' meddai Ilid. 'Ma'r rhieni 'ma'n gythreuliaid am Hula Hoops.' A gwenodd arno wrth roi te yn y tebot. Yn braf, yn gyfriniol. Parti cyntaf Deio yn y tŷ, a'r waliau noeth efo ôl crafiadau i'w gweld ym mhob llun. Crafu, crafu, crafu. Ilid ac yntau'n crafu papur oddi ar y waliau nes oedd blaenau eu bysedd yn amrwd. Crafu nerfau ei gilydd hefyd wrth aros ar eu traed yn hwyr i orffen y gwaith. Llygaid coch stwff stripio paent a diffyg cwsg.

– Fedra i ddim 'i gadal hi fel hyn! M'ond chwartar wal s'gin i ar ôl.

– Pam lai? Tyd i dy wely, ma' Deio'n siŵr o'n deffro ni mewn awr ne ddwy. Ne 'neffro i beth bynnag. Dwyt ti byth yn codi ato fo.

– Wel dim fi sy'n ei fwydo fo, naci?

– Mi allat ti ei nôl o i'r gwely.

– Yli, Ilid, camgymeriad oedd gadal iddo fo ddod i'n gwely ni yn y lle cyntaf. Chdi fynnodd. Faswn i byth wedi dechra.

– O felly'n wir? Wrthwynebaist ti ddim chwaith, naddo? Ddudist ti ddim byd.

– O roeddat ti'n mwydro dy ben gymaint, ar ôl darllan yr hen lyfr yna, a ninna wedi blino drwy'r amsar . . .

– Y syniad gwirion, hannar-call y basa babi newyddanedig yn fwy cysurus yn y gwely efo'i fam, nag mewn cot mawr ar ei ben ei hun.

– Mae o'n bum mis oed! A pwy brynodd y crud siglo crand 'na iddo fo? A beth bynnag, dim jest dy wely di ydi o, ond ein gwely ni.

Camgymeriad, camgymeriad mawr.

– Os mai dyna be 'di'r broblem, mae hi wedi'i solfio'r munud yma. Mi a' i i'r llofft sbâr efo Deio.

Ac wrth gwrs mi aeth. Symudodd i gysgu yno, fwy neu lai. Hi a Deio. Rhoddodd y gorau i drio rhoi Deio i gysgu yn ei got, hyd yn oed (ymdrech lafurus, ddiddiolch efo hwnnw'n gweiddi crio am ysbeidiau hir), gorwedd efo fo ar y gwely bach nes roedd o'n cysgu. Ac wedyn, yn amal, doedd hi ddim am fentro symud rhag ofn iddo ddeffro. Roedd o ei hun ar ei draed yn hwyr mor amal. Os nad oedd o'n gweithio roedd o wrthi'n gosod teils yn y bathrwm, leino ar lawr y gegin, neu bapur wal yn y pasej.

Roedd o'n amau fod Ilid wedi dod i fwynhau cysgu efo'r bychan. Aeth i mewn rhyw fore i ffarwelio cyn cychwyn i'w waith, a dyna lle roeddan nhw, ei gorff bychan o wedi ei amgylchynu gan ei hun hi, fel mesen yn ei chwpan. Fel cwlwm coed. Roedd ei braich hi ar draws ei gefn ef – rhag ofn iddo rowlio a syrthio allan, debyg. Cofiai Arun bwysau braich Ilid ar ei gefn ei hun.

Ond dim ers amser. Y rheswm arall oedd ganddi tros fynd i gysgu efo Deio, roedd o'n amau, oedd i osgoi perthynas rywiol efo fo. Honnai ei fod o'n dod ar ei hôl hi weithiau ynghanol y nos, yn gwthio ei ddwylo rhwng ei choesau, yn byseddu ei bronnau. Ni fedrai yntau gofio'n iawn – rhyw nosweithiau mawr fyddai'r rheini – ond amheuai fod yna ryw gynffon o wir yn y stori er iddo wadu hynny wrth ei wraig.

O damia, roedd o'n cofio'i thethi. Fel y byddai'n eu rhwbio rhwng bys a bawd fel toes i wneud iddynt godi, wedyn estyn ceg tuag atynt.

– Dwi'n caru dy dethi di.

A rŵan wrth gwrs mi oedd ganddo godiad. Tybed fyddai hi'n saff? Edrychodd ar y cloc. Chwarter wedi naw. Fel arfer, roedd pethau'n weddol dawel tan tua deg, pan fyddai'r clinigau'n dechrau.

– Fy wanc pen-blwydd i.

Penderfynodd feddwl am rywun heblaw Ilid, a

cheisiodd ei orau efo'r ferch benfelen yn y dderbynfa, ond llifo o'i afael yn smonach o ddelweddau a wnâi hi bob tro, hyd yn oed ar ôl iddo sodro syspendyrs amdani. Beth am liwio'i choesau hi'n frown 'ta – na, gwell syniad, beth am Shama?

I ddathlu, taflodd weddill y botel i lawr ei gorn gwddw. Canodd y blip.

Pan oedd o ar ei ffordd allan, yn bendithio hwylustod y fflat – petai o adre byddai wedi gorfod neidio i gar – canodd y ffôn. Penderfynodd adael iddo.

*   *   *

Er ei syndod, nid aeth ei thraed ar gyfyl y comin nac i gyfeiriad gatiau'r parc. Sut felly? Am y llefydd agored y byddai hi'n anelu bob tro, i chwilio am newid a chysur, i gerdded ac i synfyfyrio, i adael i'w thraed a'i meddwl weithio pethau allan. Mae'n rhaid ei bod yn gwybod nad oedd yna weithio allan ar y dirgelwch hwn, ei bod hi, Ilid, yn curo'r plentyn a garai.

Gwelodd, cyn iddi droi ei chefn, fam ifanc yn gwthio coets babi tuag at y parc. Coets gadair, a babi tua blwydd yn eistedd ynddi – a dweud y gwir, yn pwyso dros yr ochor yn trio cael gafael ar faneg oedd yn siglo wrth ochor y goets. Medrai Ilid weld siâp ceg y fam yn symud, a'r olwg annwyl ar ei hwyneb yn dweud mai cellwair efo'r babi yr oedd hi. I ffwrdd â nhw, yn eu byd bach eu hunain.

Yn llygaid ei meddwl roedd Ilid yn y parc bach dinesig yn Bow efo Maia, ei haf cyntaf hi, a hithau wedi rhoi'r ffrog las a gwyn streipiog amdani (presant gan Susan o'r gwaith). O, roedd hi mor ddel! A tric mawr

Maia y diwrnod hwnnw oedd dringo dros ben Ilid a'i charcharu o dan sgert y ffrog, a chwerthin dros bob man.

– Dyna lle ro'n i, yn fach fach o dan babell las a gwyn streipiog fy merch. Crynai awelon bodlonrwydd drwy'r defnydd, ac anadlai gymysgedd o oglau rhosod, rhosmari, a nicyr plastig.

Cafodd ei hun tu allan i siop o'r enw 'Fantasia' oedd newydd agor yn y stryd fawr. Yn y ffenestr roedd yna bob math o drugareddau tlws, lliwgar, diangen. Canwyllbrennau gwydr yn disgleirio'n las a choch a phiws, gan wneud iddi feddwl am ffenestri eglwys. Mi edrychent yn ddel ar y silff-ben-tân yn y stafell fyw, yn erbyn y wal wen. Pan gâi honno ei gorffen, rywdro. Canfu ei bod wedi mynd i mewn trwy'r drws, ac wrthi'n astudio blychau bach pren efo patrymau cain wedi eu naddu arnynt. Tybed fuasai Maia'n lecio un o'r rhain i gadw ei modrwyau a'i chadwynau? O, mi fuasai'n braf medru llacio tipyn ar y rhaff yma o amgylch ei gwddf drwy brynu rhywbeth iddi. Breichledau copr ac arian, hetiau melfed a phluen ar rai, siolau sidan a rhai gwlân. O, dyna'r union beth, y siôl fach goch yna'n hongian uwchben.

– Faint ydi'r siôl fach yna? Amneidiodd tuag ati.

Craffodd dynes y siop i fyny i'r hanner tywyllwch lle crogai'r siolau.

– O, maen nhw'n bymtheg punt ar hugain.

– Pymtheg punt ar hugain! Ond i blant maen nhw, ntê?

– Ie. Ond maen nhw'n wlân pur, welwch chi, efo leinin sidan. Cael eu gwneud gan gwmni bach dethol iawn sy'n cynhyrchu gwisgoedd ar gyfer y theatr. Hugan fach goch ydi honna, ac Eira Wen ydi'r un las.

Efo polyn mawr a bachyn yn sownd ynddo, dadfachodd y ddynes y siôl goch a'i gosod yn nwylo Ilid. Byseddodd hithau hi. Roedd y gwlân yn ysgafn fel petai'r un a'i gweodd wedi gwau aer rhwng y pwythau. Roedd yna ymyl igam-ogam fel ffril iddi, a hŵd cwmpasog. Byddai Maia wedi gwirioni!

– Ac mi synnech faint o le sy ynddyn nhw hefyd. Mi baran am ddwy neu dair blynadd.

Ond mi oedd hi newydd dalu bil nwy mawr, a'r morgais wedi codi am yr ail waith eleni. Heb sôn am . . . be tasa Arun yn mynnu mynd i India i weld ei fam eto, a iechyd honno'n gwaethygu bob blwyddyn? Roedd y siwrneiau'n bwyta pres heb sôn am amser . . . dyna pam na chawsant wyliau iawn fel teulu y llynedd. Ddylai hi ddim, ond . . . Teimlodd wacter mawr yn ei bol, ond doedd arni ddim awydd eistedd i synfyfyrio. Doedd hi ddim yn haeddu coffi, beth bynnag. Allan â hi.

Dacw fŷs stop. A bŷs yn dod heibio ac yn stopio am hydoedd i adael i hen wreigan fethedig ymlafnio tuag at y palmant. Wedi iddi hi ei llusgo ei hun i ffwrdd, daliai'r bŷs i loetran, disgwyl bron. Dechreuodd Ilid redeg. Mi ai i siopa, i Lewisham. Mi oedd angen un neu ddau o bethau ar Maia a Deio, a fedrai hi ddim wynebu mynd adref, na meddwl am unlle arall lle y carai fynd.

Rhoddodd ei llaw i mewn i'r bag plastig a rhoi mwythau i'r sidan oer, a phrofi'r wefr fechan o bleser. Un am brynu oedd hi wedi bod erioed. Bu'n gloddesta yn Mothercare a Marks & Spencer ar ôl geni Maia. Ffrogiau, dyngarîs bach annwyl, cotiau, siwmperi, cardigans efo pob math o batrymau, festiau bach del a nicyrs i fatsio. Rŵan câi bleser mewn dewis siwtiau nofio a legins yn y lliwiau llachar, tywyll – piws, glaswyrdd, oren llosg– a weddai i groen brown Maia.

'Do'n i ddim isio hogan pan ges i Maia.' Cofiodd ei hun yn dweud y geiriau wrth syllu ar y môr, ar draeth Abersoch efo Sera, a Maia'n dechrau cerdded. Cyffes – y tro cyntaf iddi ddweud wrth neb. Sera yn dweud:

– Nag oeddat? Hogan fach *dwi* isio. Yr holl ddillad bendigedig yna! Hogan ma' pawb o'n ffrindia i isio hefyd.

A hithau'n diolch am y ffrog a'r het haul yr oedd Sera wedi eu rhoi yn bresant babi i Maia, a dweud eu bod yn ddel iddi.

– O'n i'n meddwl y basa pinc yn mynd . . .

Efo'i chroen tywyll hi, dyna be roedd hi'n feddwl, a sylweddolodd y ddwy hynny.

– Fydda i ddim yn dewis pinc i hogan bob tro, cofia! Dwi'n gwbod bod chdi'n ffeminist ofnadwy.

Ac eiliad wedyn, bron fel petai hi'n talu'r pwyth yn ôl am feddwl cyfeirio at liw croen Maia:

– Dwi'n synnu atat ti, dim isio merch, a chditha'n gymaint o ffeminist.

– Wnes i'm dewis peidio bod isio hogan.

– Ond ti'n gwbod pam?

– Mam, 'te. Mam a fi.

Wnaethon nhw ddim ymhaelaethu ar hynny wedyn, er bod y ddwy'n cofio'r ffraeo a'r tynnu'n groes yn iawn – dyna'r adeg pan oedd hi a Sera fwya o ffrindia, y blynyddoedd hynny yn Ysgol Dyffryn Nantlle. Ond mi ofynnodd Sera sut oedd Tudur, ei brawd, erbyn hyn. Cafodd hithau ddweud ei fod yn cael byw bywyd normal, wedi setlo yn Boston, a thorri calon ei fam.

– Iesgob, Ilid, ma' dy hogan bach di'n byta tywod!

A gadawson iddi, a mynd i afael yn nwylo Maia a'i thywys i lawr at y tonnau bach i ymdrochi ei thraed.

Yn Lewisham roedd y siopau'n llawn o bethau Sul y Tadau. Byddai'n gyfle iddi brynu rhywbeth ar gyfer ei thad. Roedd o'n hoff o'i dendans ar Sul y Tadau. Syllodd ar resi o gardiau yn Smiths. Y rhai artistig oedd orau ganddo. *Impressionists? Post-Impressionists?* Ffug *impressionists* o America, yn gysgodion pastel i gyd? Roedd gan Ellis feddwl mawr o Van Gogh, ond roedd hithau wedi prynu bron pob llun o'i eiddo (a oedd ar gael ar gerdyn) ar wahanol achlysuron. Efallai y byddai'n rhaid gollwng abwyd newydd. Cézanne, efallai, bryniau gwyrdd ac oren Provence? Neu Toulouse-Lautrec a'r sgerti'n fflio ym mariau Montmartre. Medrai brynu llyfr i fynd efo'r cerdyn; roedd hanes difyr i fywyd y ddau ohonynt. Efallai y byddent yn ymuno â Van Gogh yn oriel bersonol ei thad o'i arwyr. Dyna un o bleserau prynu rhywbeth iddo: weithiau mi hitiech y jacpot, gwirionai Ellis yn bot amdano, a sôn am ddim byd arall am fisoedd. Gafaelodd yn y ddau: câi benderfynu'n nes ymlaen.

Porodd ychydig ymysg y cardiau – doedd yr un o blant y teulu'n cael pen-blwydd y mis yma, ond wnâi o ddim drwg cael cerdyn wrth gefn. Gwahoddiadau i barti – dim angen y rheini am oesoedd, diolch byth. Cardiau i hysbysebu geni plentyn – na'r rheini chwaith, yn reit siŵr. Llythyrau i ddiolch am bresantau. O God, yr union rai, efo enfys ar dop y dudalen a 'thank you' wedi ei brintio'n ysgafn ar y cefndir mewn lelog a phinc a melyn. Yr union rai a rwygodd Maia'n ddarnau mân ar ôl y Dolig. Y rheini arweiniodd at y tro cyntaf.

Ond doedd dim iws rhoi'r bai ar y cardiau. Cerddodd yn syth at y til a'i phen i lawr, wedi colli pob blas ar chwilio. O, amser drwg oedd hwnnw! Y Dolig newydd fynd heibio, hwythau wedi gwario gormod rhwng gwneud y tŷ (ar bethau fel gwaith ar y to a'r gwteri a hynny heb wneud unrhyw argraff amlwg) a phrynu presantau neis – rhy neis. Hi oedd wedi gwneud y siopa Nadolig ar ei phen ei hun, a llusgodd y peth am wythnosau rhwng anfon pethau i deulu Arun mewn da bryd ('Dydyn nhw ddim hyd yn oed yn dathlu'r blwmin Dolig!' edliwiodd wrtho. 'Wel, gafon nhw bresanta Diwali gynnon ni?' 'Chafon nhw ddim byd gin ti 'radag honno a chân nhw ddim byd rŵan chwaith!') Ond fo oedd yn talu. Mi wyddai'r ddau ohonynt hynny. Felly mi gafodd dalu am bethau neis, achos mi oedd hi'n llai o drafferth cael hyd i bethau neis drud na phethau neis am bris rhesymol.

Ac yn syth ar ôl y Dolig diflannodd Arun – roedd hi'n argyfwng yn ei ysbyty o fel mewn llawer ysbyty arall efo'r epidemig ffliw. Y tywydd yn gafael, barrug du ar y lonydd a'r palmentydd. Wy melyn yr haul yn cracio dros ymyl y toeau am wyth, ac yn llithro'n goch dros bennau'r coed am bedwar. Dyddiau cwta: amser maith. Ond cofiai un bore pan oedd y plant ill dau yn y gwely mawr efo hi. Roedd hi wedi nôl Deio yn ystod y nos; roedd hi'n effro ac yn mwynhau ei oglau llaethog a ffwr ci bach pan lithrodd Maia i fewn atynt. Ac roedd hynny'n braf hefyd, croen llyfn ei chluniau a goglais ei gwallt.

Yr athrawes ynddi brynodd y cardiau. Yn doedd o'n gyfle da, naturiol i Maia ymarfer ysgrifennu yn Gymraeg drwy sgwennu llythyrau i ddiolch am ei hanrhegion Nadolig? Medrai hithau sgwennu'r rhan fwyaf dros Deio, a gadael iddo fo dorri ei enw a mynd dros y llythrennau yn 'diolch yn fawr'. Rhywbeth i basio awr yn ddifyr ac addysgiadol. Roedd y papur mor ddel; byddai Maia'n siŵr o gymryd ato.

– Na, Mam, dwi'm isio! Ma' hynna'n swnio'n boring, boring, iawn!

– O tyd yn dy flaen, rwyt ti'n lecio sgwennu'n iawn.

– Dwi'n lecio sgwennu yn yr *ysgol*.

– Ond mi sgwennist di gân ddoe.

– Ia, cân oedd hynny, 'tê. Cân briodas Ken a Sindy oedd hi.

– Wel, mi gei di sôn am y briodas yn dy lythyr.

– O Mam, paid â bod mor dwp.

– A phaid ditha â bod mor ddigywilydd.

Yn y diwedd bu raid iddi bwyso a bygwth, addo trêt ar ôl gorffen, a styrbio cyn i Maia ddygymod a chodi pensel. Aeth hithau i wneud paned iddi hi ei hun i drio ymdawelu. Wrth agor y tun o fisgedi siocled, presant Dolig gan Anti Nansi, clywodd sŵn rhwbio ffyrnig.

– Ma' hwn 'di difetha rŵan, dwi'n mynd i' daflu fo!

– O nagwyt, Maia; gad i mi ga'l golwg arno fo gynta . . .

– Na! Mae o'n horibl a dwi'n mynd i'w roi o yn y bin.

– Wel paid cyn i mi . . .

Sgrwnsh! Gafaelodd Ilid yn y fraich a ddaliai'r papur, a thriodd â'i llaw arall i'w gael o ddwrn Maia. Cododd honno ar ei thraed yn chwifio'i braich ac yn chwerthin.

– Ha ha!

Ymosododd Ilid ar ei garddwrn a dod â'r fraich i lawr yn galed nes iddi glecian ar y bwrdd. Sgrechiodd Maia mewn poen a gollwng y papur.

– Diolch yn fowr am y cemistri set neuthoch chi roid i Deio a fi . . .

Wylodd Maia'n swnllyd.

– Pam na fasat ti wedi *gofyn* i mi sut i sillafu rhai o'r geiria 'ma, Maia?

– Ti 'di torri 'mraich i!

– Nac'dw, siŵr. Ti'n fwy gwydn na hynna.

– Ti'n gas, Mam. Ti'n gas a dwi'm yn dy lecio di.

Rhedodd allan o'r gegin ac i fyny'r grisiau. Daeth Deio i lawr.

– Be sy ar Maia?

– Wedi cal ffrae 'dan ni.

– 'Dan *ni*'n ffrindia, dydan Mam? Ga i fisged siocled?

Y diwrnod canlynol cyrhaeddodd Arun yn ei ôl o India.

*   *   *

Dyma Marks. Aeth i mewn ac anelu am yr adran dillad plant. Prynodd siwt nofio mewn lliwiau aur a choch i Maia, ac un efo llun Superman i Deio. Gŵn defnydd *towelling* lliwgar bob un i fynd i nofio. Roedd yr haf yn dod, wedi'r cwbwl. Efallai y caent wyliau fel teulu eleni. Prynodd domen o sanau bach, rhai gwyn a rhai efo patrwm blodau fel yr hancesi wedi eu brodio oedd gan Nain. Siaced fach ysgafn i Deio i gymryd lle côt aeaf, sgert a thop iddi hithau. Aeth yn ei hôl am y bỳs yn llwythog o fagiau plastig. Presantau, presantau. Byddent yn falch o'i gweld yn dod.

3

Wrth nesu at ddrws ffrynt yr ysgol, sylwodd Ilid ar Mrs Galbraith yn codi ei llaw drwy'r ffenest. Arni hi? Agorodd y ffenest a daeth pen yr ysgrifenyddes allan.

– Os dowch chi rŵan, Mrs Kataria, ma' hi'n rhydd.

– Pwy?

– Mrs Stewart. Chawsoch chi mo'r neges?

– Neges? Naddo wir.

Ond mi wyddai'n syth. Yn freuddwydiol o araf a thrwm cerddodd i lawr y coridor at y swyddfa. O'r nefoedd, be ddeuai ohoni? Fyddai hi wedi cysylltu â'r Gwasanaethau Cymdeithasol yn barod? Ynte bwgwth gwneud?

– Ma'n ddrwg gen i. Roeddan ni'n meddwl yn siŵr – wrth ei bod hi'n reit fuan – yn syth ar ôl amser chwara bore 'ma ffoniodd hi – y basach chi'n cael y neges, siŵr o ddod adre rhyw ben rhwng hynny a thri o'r gloch. Tydach chi ddim yn gweithio, na'dach, Mrs Kataria?

– Na'dw.

– Wel ia, dyna ro'n i'n feddwl – O, dyma hi Mrs Kataria, Susan – chafodd hi mo'r neges ma' arna i ofn, ond yn lwcus iawn mi gwelish i hi'n cyrraedd.

Safai Susan Stewart yn nrws ei hystafell. Dynes ganol oed ifanc, dalsyth, wedi gwisgo'n smart fel pob amser (o'r nefoedd, a hithau yn y dillad ofnadwy yma). Siwt werdd leim oedd ganddi amdani heddiw, a botymau mawr aur arni. Efo'i gwallt golau wedi ei dynnu'n ôl mewn cwlwm, roedd hi fel goleudy. Er gwaetha'r ofn a deimlai Ilid, cafodd ei hun yn meddwl unwaith eto yr hoffai hi fwy o gynhesrwydd mewn prifathro neu brifathrawes ysgol gynradd, rhywbeth

35

mwy agos atoch. Petai hi ei hun yn cael swydd fel prifathrawes . . .

Gwenodd Mrs Stewart at Ilid.

– Dewch i mewn, Mrs Kataria.

Parlyswyd genau Ilid mewn gwên. Croesodd gors o garped at gadair isel. Cymerodd Mrs Stewart hithau ei lle tu ôl i'w desg. Edrychai fel petai am ddechrau siarad; oedodd a chroesi ei choesau.

– Mae'n ddrwg gen i os ydw i wedi'ch styrbio, ond teimlwn ei bod hi'n ddyletswydd arnaf ddweud rhywbeth wrthoch y tro yma.

Oeddan nhw wedi sylwi y tro o'r blaen hefyd, felly? Ond dim ond slap neu ddwy ar ei choesau oedd hynny – dim hoel i'w weld, yn enwedig o dan sanau.

Tapiodd y brifathrawes y ddesg efo'i beiro arian. A chafodd Ilid syniad melltennog, sut i achub y blaen arni hi.

– Mi a' i am help. Dyna be ddylwn i 'neud. A dwi wedi trefnu therapi. Dwi'n dechra fory.

– Os ydych chi'n teimlo mai hynny fyddai orau. Eich bod chi angen cefnogaeth.

– Ydw. Ydw, mi ydw i. Achos mai fi sy adra efo nhw, bron drwy'r amser, mae'n anodd weithia . . . cadw rheolaeth.

Syndod oedd wedi agor ei llygaid fel yna: mi wyddai mai dim ond dau o blant oedd gan Ilid, ac yr arferai fod yn athrawes ei hun – roeddynt wedi sôn am hynny pan ddaeth hi yma i geisio lle i Maia ddwy flynedd yn ôl.

– Mynd i gynnig yr oeddwn i ein bod ni'n mynd o gwmpas pethau yn yr un ffordd. Gartre ac yn yr ysgol. Mae cysondeb mor bwysig i blant yr oed yma. Rydw i wedi gweld problemau o'r fath yn diflannu'n fuan iawn wrth gael cydweithrediad.

Oedd hi'n gweld hyn fel problem Maia, yn hytrach na'i hun hi? Doedd bosib.

– Efallai nad ydi o'n brathu adre?

– Brathu?

– Ie.

– Pwy frathodd?

– Pwy frathodd o? Bachgen bach o'r enw Patrick Thomas, y tro hwn.

– Deio wedi brathu?

Rhyddhad yn tagu i mewn i'w hysgyfaint, yn ei slapio ar ei chefn, yn ffrydio i'w bochau.

– Mae arna i ofn.

Llesmair o drwbwl ysgafn, helbul dihelynt. Ond, O'r nefoedd, roedd rhaid brysio i ddeud rhywbeth call, cyn iddi amau.

– Mae wedi gwneud o'r blaen, unwaith ne ddwy, pan oedd o wedi cynhyrfu'n arw. Ond dim ers misoedd. Ro'n i'n meddwl 'i fod o wedi tyfu allan ohono . . . ond *mae* o'n newydd yn y dosbarth, a doedd o'n nabod fawr neb arall pan ddechreuodd o.

Parablodd Ilid, a'r brifathrawes rŵan yn nodio ei phen – ond oedd yna ryw gysgod o amheuaeth yng nghornel ei llygaid?

– Fuo 'na ddim . . . anhawster . . . adre'n ddiweddar a allai fod wedi effeithio arno?

Roedd ei llygaid ar Ilid, ac roeddynt yn graff, yn dreiddgar – doedd hon ddim yn wirion, o bell ffordd – ac roedd rhaid i Ilid hel ei nerth eto, pob mymryn ohono, i ymddangos yn unedig, i fedru magu digon o wyneb i fownsio'r cyhuddiad cudd yn ei ôl. I beidio â chwalu'n dipia.

Gorfododd ei hun i siarad yn fwy pwyllog.

– Mae Arun, fy ngŵr, yn *SpR – Specialist Registrar –* o fewn tîm cardiac, ac mae llawer o bwysau gwaith arno, gorfod gwneud shifftiau nos ac ati. Mae o'n wynebu arholiadau pwysig yn fuan hefyd. Wel, mae llai o amser i'r plant ganddo o ganlyniad.

Fel y tybiodd, ymlaciodd y tensiwn. Pwysodd y brifathrawes yn ei hôl.

– Mi wela i. Deio'n teimlo'r golled.

– Ia. Roedd o'n siomedig iawn dydd Sadwrn diwethaf pan fethodd ei dad fynd â fo i nofio.

Bu'n rhaid iddi hi fynd â nhw i'r pwll nofio yn ei le, ac er iddynt fynd tros ei phen hi i fynd efo nhw ar y sleids dŵr, nid oedd y pnawn yn llwyddiant mawr.

– A Maia?

Tonnau bach yn ymledu o'r enw.

– O, mae hitha'n ei golli hefyd, er nad ydi hi'n ei ddangos yn yr un ffordd.

Mentrodd.

– Ydi hi i'w gweld yn iawn yn yr ysgol?

– Patrwm o eneth. Mi fu yma bore 'ma i dderbyn tystysgrif. Darlun, os ydw i'n cofio'n iawn. Dychymyg cryf.

– Ia, ategodd Ilid. – Dychymyg cryf.

Cytunasant y byddai Ilid ac Arun yn cael sgwrs efo Deio, ac y byddent yn ceisio sicrhau ei fod yn cael amser ar ei ben ei hun efo'i dad.

– Diolch yn fawr i chi am ddod, Mrs Kataria. Wnewch chi faddau i mi am beidio codi? Dwi'n disgwyl galwad ffôn.

Pan edrychodd Ilid dros ei hysgwydd arni roedd hi'n sgriblo ar damaid o bapur. Cododd ei phen a gwenu arni.

– A phob lwc efo'r therapi.

Daeth Maia a Deio i lawr y coridor tuag ati. Edrychai Deio ar y llawr – petai ganddo gan gwag byddai wedi ei gicio o'i flaen. Adnabu Ilid yr euogrwydd yn syth – roedd o'n gwingo tu fewn iddi hithau. Yr unig un ysgafndroed, wyneblawen oedd Maia.

– Helô, Mam. Dwi 'di bod yn helpu Miss Lewis i dacluso'r dosbarth ac mi ges i seren gyn'ni. *Ac* mi ges i dystysgrif am fy llun, bore 'ma.

– Wel, do, mi glywais i am hynny, meddai Ilid. – A wyddost ti gin pwy?

– Mrs Stewart, meddai Deio, heb sbio i fyny.

– Y? Wyt ti wedi bod yn gweld Mrs Stewart, Mam?

– Do. Ond dim byd i'w 'neud efo chdi, Maia.

– 'Swn i'n meddwl wir. Ma' gin i fwy o sêr na neb arall yn fy nosbarth i. Un deg saith.

– Wel, mi fasa'n gallu bod yn rwbath neis, yn basa?

– Dwi *ddim* yn meddwl. 'Di Mrs Stewart ddim yn gweld mamau a tadau pobol i ddeud petha neis.

Gwir iawn, meddyliodd Ilid. Llygadodd Deio. Oedd yna ôl crio o gwmpas ei lygaid?

– So be 'nest di?

– Dim dy fusnas *di* ydi o!

– Be 'nath o, Mam?

– Brathu rhywun, medda Mrs Stewart.

– Patrick. Welish i pawb o'i gwmpas o.

– Pryd oedd hyn, yn union?

Gwyddai nad fel hyn y dylai hi fynd o gwmpas pethau, cynnal cwest cyhoeddus efo Maia'n rhoi gwybodaeth. Ond roedd hi'n anodd stopio.

– Diwadd amsar chwara bora 'ma, jest cyn i'r gloch ganu.

Cafodd syniad.

– Wn i be 'nawn ni. Beth am fynd i'r parc i'r lle chwara, ac ar y ffordd yn ôl, Deio, mi gei di ddeud wrtha i be ddigwyddodd.

– Iawn, meddai Maia. – Os gawn ni eis-crîm yn y caffi.

– Iawn, meddai Ilid. – Ol-reit, Deio?

– Neinti-nein, meddai Deio.

– Felly wir! Mi gawn ni weld.

Mi ddaeth dros y pwl euogrwydd – os mai dyna beth oedd o – yn sydyn iawn. Doedd hynny'n synnu fawr arni chwaith. Plentyn dedwydd, bodlon oedd o yn y bôn; fel hwyaden blastig yn y bàth yn cael ei gwthio o dan y dŵr, ac yn bownsio'n ôl i'r wyneb bob amser.

– Felly, dwyt ti a Patrick ddim yn ffrindia?

Gollyngodd Deio ebychiad diamynedd.

– Hen fabi ydi Patrick.

– O?

Disgwyliodd. Nid trwy saethu cwestiynau yr oedd cael gwybodaeth gan Deio. Daliodd y ddau i ddringo'r llwybr serth a droellai tuag at yr Observatory a'r caffi. Roedd Maia wedi dawnsio mynd o'u blaenau.

– Wel, 'di o byth yn chwara efo neb. Neb ond Saira, a weithia 'neith o ddim chwara efo hi hyd yn oed. 'Di o byth yn chwara ffwtbol.

– A mi wyt ti'n chwara ffwtbol trwy'r adag.

Nòd fach benderfynol. Nid oedd Deio ei hun yn arbennig o dda am gicio peli, ond mi oedd o wedi sylweddoli'n fuan mai dyna yr oedd hogia yn ei wneud. Erbyn hyn roedd yn eitha balch o'i sgiliau, ac yn dilyn gêmau ar y teledu gyda brwdfrydedd. Mor wahanol i Arun, na chymerai ddiddordeb mewn unrhyw gêm heblaw criced! Am ryw reswm achosai'r gwahaniaeth hyn rhyngddynt firi i Ilid. Doedd ryfedd, chwaith, fod Nain a Taid yn dweud ei fod yn 'rêl hogyn'.

– Felly pam 'nath o ddwyn y bêl a 'chau 'i rhoid hi'n ôl?

– O! Dyna pam 'nest ti 'mosod arno fo?

– Mm.

Y nòd fach hunanfeddiannol yna eto.

– 'Nesh i'm 'i frathu o'n syth, ategodd. – 'Nesh i *ofyn* am y bêl yn ôl. A dyma fynta'n deud, mewn hen lais fath â un o'r athrawon, 'Mae bron yn amser cadw'r bêl. Mae amser chwara bron ar ben.'

Saib.

– A mi frathist ti o?

Nòd sydyn.

– O, Deio! Ddeudist ti bod yn ddrwg gin ti?

Ysgydwodd Deio ei ben.

– 'Nest di 'i frifo fo'n ddrwg?

– Oedd 'i wynab o'n gwaedu, dipyn bach. Oedd o'n crio dros y lle.

– O, Deio, ma' isio deud sori. Ti'n gwbod hynny, yn dwyt? Ar ôl brifo rhywun.

Cododd Deio ei ben.

– Wyt ti 'di deud sori?

A heb air arall, gwibiodd i fyny'r llwybr a mynd i siglo ar y relings efo Maia, a oedd wrthi'n bwrw'i thin dros ei phen fel olwyn dân gwyllt.

*   *   *

Erbyn i Ilid gyrraedd adre, roedd y plant wedi diflannu. Cymerodd y buasai un ohonynt yn neidio o'r tu ôl i wal drws nesa, neu'r llwyn rhododendrons, ond doedd yna ddim troed na chorun i'w weld.

41

– Maia! Deio! Lle dach chi'n cuddio, 'r coblynnod bach?

Oedd yna sŵn chwerthin isel, pell? Clustfeiniodd. Dim dail yn ysgwyd, dim sathru traed. Camodd at y drws yn araf, i roi cyfle iddynt ymddangos. Neb. Rhoddodd y goriad yn nhwll y clo. Wnâi o ddim troi. Oedd hi wedi anghofio ei gloi y bore 'ma? Daeth atgof o'i hymadawiad yn ôl fel gwynt drwg o'i stumog – doedd ganddi ddim cof o gwbwl o gloi'r drws ar y mortais. Agorodd y drws efo'r goriad bach. Chwa o sbeisys, *cumin* a *garam masala* yn bennaf, yn ei chyfarch. A lleisiau – llais Maia'n uchel a chynhyrfus. Wrth gwrs. Roedd o wedi dod yn ôl.

Cadwodd Ilid ei bag llaw ar y stand, a mynd yn syth i fyny'r grisiau. Aeth â'r bag plastig efo'r siôl goch ynddo efo hi. Thalai hi ddim i'r plant ddod ar ei draws (doedd ganddi ddim byd tebyg ar gyfer Deio beth bynnag). Aeth i'w llofft fach ei hun, a chadw'r bag yn ei chwpwrdd wal. Cafodd wared o'r trowsus hyll a'r top ofnadwy. Trawodd grys-t lliw fioled amdani – hen ffefryn, a'r cotwm yn denau ac yn ystwyth – a phâr o legins du. Dyna welliant. Teimlai'n ysgafnach. Ac aeth i lawr y grisiau.

Yn y gegin chwyddai'r *roti* yn swigen fawr yn fflam las y nwy.

– Ga i 'neud y nesa, Dad? O plîs, 'na i fod yn ofalus iawn.

– Sori, *beti,* rwyt ti braidd yn ifanc.

– Ond dwi'n gwbod be i 'neud! Codi'r *roti* wrth ei ymyl, fel hyn – a chododd Maia'r cylch brown fel cardbord gwlyb rhwng dau fys a bawd. Nesaodd at y fflam agored.

– Na, mi losgi!

– Tyd â fo i mi, Maia! gwaeddodd Arun ac Ilid efo'i gilydd, a throi i rythu i wynebau ei gilydd wedyn.

– Wyddwn i ddim bo' chdi adra.

Roedd y *roti* yn ei ddwylo fo, a golwg anfoddog ar wyneb Maia.

– O'n i mor boeth, roedd rhaid i mi newid.

– Dwi'n gwbod, mae 'di cnesu heddiw. Oedd hi'n ofnadwy ar y ward.

– Pryd cyrhaeddist di?

– Tua pedwar. Dim llawer cyn i'r rhain ddŵad.

Doedd dim angen gofyn a oedd o wedi cael ei galwad, ond mi fyddai wedi hoffi gwybod pa bryd. Roedd o wedi troi at y stof a gosod y *roti* yn ei fflam. Gwyliodd pob un ohonynt tra chwythid y peth fflat yn beth boliog. Tynnwyd hi o'r fflam, a gostegodd y chwydd fawr. (Fel merch ar ôl cael babi, meddyliodd Ilid. Ond, fel mae pawb yn dweud, dydi rhywun byth yr un fath wedyn. Ar ôl bod yn y fflam. Cael eich cwcio. Gwenodd.)

– I fynd efo'r *dal* maen nhw.

Amneidiodd Arun at y sosban lle ffrwtiai'r cyrri lentil a llysiau – hoff damaid iddo yr adeg yma o'r dydd.

– Ogla da, meddai Ilid.

Roedd arogl cyfarwydd, cartrefol y *dal* yn codi blys mawr arni i fod yn ffrindiau efo Arun unwaith eto. (Medrai eu gweld un bob ochor i'r bwrdd – nid y bwrdd mawr teuluol yma chwaith, ond yr un bach blêr, sgwâr o'r fflat oedd yn awr o'r golwg dan botiau paent a rholiau o bapur wal yn y stafell ffrynt. Cynigiodd Arun y platiad o *rotis* iddi, a chymerodd un a dechrau ei falu rhwng bys a bawd. Fedrai hi yn ei byw eistedd. Trochodd damaid o'r *roti* yn y cyrri.

– Ma'n boeth.

– Rois i fwy o *chilli*. Ffansïo mwy o wres.

Roedd hi'n ei amau. Fyddai o ddim yn newid ei ryseitiau ar amrantiad. Tybiai ei fod wedi gwneud y cyrri *dal* yn fflat yr ysbyty, i'r doctoriaid eraill a ddôi o India ac o Bacistan, a'u bod hwy wedi awgrymu newidiadau. Clywodd sôn am Dipesh, a Shama.

Agorodd Deio y drysau Ffrengig, a rhedodd y ddau allan drwyddynt i'r ardd. Tarodd un ohonynt yn erbyn y lafant wrth fynd heibio gan anfon ei bersawr i mewn trwy'r drws.

– Wel, mi ddois i.

– Mm.

– Newidiais i'n shifft efo Dipesh i mi gael dŵad adra.

– Ma' gin ti rywfaint o amsar rhydd, siawns?

– Wel oes. Y broblem ydi *pryd*. Ges i pnawn ddoe i ffwrdd, heb ei ddisgwyl, a ro'n i'n gweithio wedyn o wyth tan saith bore 'ma.

– Mi fasat wedi medru dod adre, yn hawdd!

Ochneidiodd Arun i mewn i'r cyrri, a rhoi tro arall iddo efo'r llwy bren.

– S'gin ti'm coriander, ma'n siŵr?

– Nagoes.

– Mi 'nesh i feddwl am ddŵad. Gweld y plant, helpu i'w rhoi yn eu gwlâu.

– Mi allai fod wedi gneud gwahaniaeth, 'sti!

Saib. Sylwodd Ilid fod cylchoedd duon o dan lygaid Arun, yn gwneud i'w wyneb edrych wedi gwisgo. Tosturiodd wrtho. Mi *oedd* o'n blino. Siaradodd cyn iddo orfod gofyn iddi.

– Curo Maia wnes i.

Edrychodd arni, gan ddal i sefyll uwchben y stof.

– Yn ddrwg?

– Yn waeth nag erioed o'r blaen.

Wnaeth o ddim dweud na welodd o hi yn curo Maia erioed, er fod hynny'n wir.

– Be, slaes, celpan, cweir?

– Na. Efo brws gwallt.

– Ar 'i phen?

– Na. Bob man arall, am wn i. Ei chefn. Ei sgwydda. Ei choesa.

Roedd o'n syllu arni o ddifri rŵan. Consýrn yn ei lygaid. Roedd o'n poeni amdani *hi*.

– Be oedd hi 'di 'neud?

Edrychodd Ilid drwy'r ffenest ar Maia'n ei gwthio ei hun ar y swing, ei choesau brown yn ymestyn a phlygu, ei ffrog binc yn fflio, yn dod yn nes ac yn ymbellhau. Peth braf oedd siglen, swynol yn ei rythmau. Hi oedd piau'r swing adre, a hi fyddai arni hefyd, am hydoedd, a Mam yn dwrdio ei bod hi'n iawn i Tudur gael tro, waeth pwy oedd piau hi, a byddai hi'n clymu'r swing os na fyddai Ilid yn dod o'na rŵan hyn.

Ochneidiodd. Roedd Arun yn dal i ddisgwyl.

– Y rigmarôl arferol. 'Cau codi. 'Cau gwisgo amdani. Wel, cymryd oesoedd i wisgo. Gwisgo dillad oedd ddim yn ei ffitio. Bod yn reit ddigywilydd pan wnes i awgrymu y dylai hi newid. Ac ar y funud olaf, mynnu newid ei sanau am deits.

Doedd o ddim yn swnio'n ofnadwy iawn. Ychwanegodd:

– Ro'n inna ar biga'r drain braidd am 'mod i isio mynd i gyfarfod trefnwr y cynllun mynd-yn-ôl-i-ddysgu.

– Est ti?

– Naddo.

– Biti.

Llanwyd Ilid â diolchgarwch am ei fod eisiau iddi hi gael mynd yn ôl i ddysgu; am nad oedd wedi ei lambastio am guro Maia (hyd yn oed os gwnâi, yn nes ymlaen).

– Ro i beth o hwn ar blât i ti?

– D'wn i'm. O, ol-reit 'ta. Dipyn bach. Diolch.

Roedd Arun yn teimlo'n ofnadwy. Tasa fo wedi dod adre neithiwr, efallai y buasai'r sefyllfa wedi bod yn wahanol. Maia wedi codi mewn gwell hwyliau. Na. Roedd y styfnigrwydd yna ynddi, fel craig dan welltglas; roedd o'n *mynd* i frigo o bryd i'w gilydd. Gwyddai Ilid ac yntau o brofiad na fedrech chi ddim rhag-weld pryd yn union. Ilid ac yntau. Dim fel yna roedd hi'n gweithio rŵan, beth bynnag.

Eisteddodd ar un o'r stolion i fwyta'r cyrri. Chafodd o fawr o ginio, rhwng popeth.

– Dad! Dad! Wyt ti'n aros adra heno, d'wyt?

– Wel – yndw, am wn i. Ydach chi isio i mi?

– Grêt. Gawn ni chwara gêm, pawb ohonon ni.

Roedd o'n aros, felly. Dyna hynna wedi ei setlo, heb iddi orfod gofyn. Doedd eu sgwrs ddim wedi darfod. Ac er gwaethaf eu dieithrwch, roedd yna gynhesrwydd yn pelydru oddi wrtho, fel haul trwy gwmwl.

* * *

Maia gafodd ddewis y gêm ac, wrth gwrs, 'Teuluoedd Dedwydd' oedd ei dewis hi. Roedd hi wrthi'n ddyfal yn casglu Mr a Mrs Llygoden a'u plant a'r Cwningod, ei ffefrynnau.

– Pam nad oes 'na Nain a Taid yn y gêm yma?

– Am y basa hi'n para am byth, Deio.

Gwelodd Ilid Arun yn cilwenu.

– Ma' gin Nain a Taid wya Pasg i Maia a fi.

– Oes wir, pwt? Dyna'r Llyffantod allan!

Gosododd y teulu anghynnes hwnnw o'i blaen.

– Gas gin i'r penbwl bach yn y cot, meddai Maia. Ych a fi!

– A finna, meddai Arun. – Maia, ydi Miss Wiwer gin ti?

– Na'di, Dad. Sori.

Gwenodd yn hapus arno.

– Mi ddeudodd Nain 'u bod nhw'n dŵad, meddai Deio. – I aros efo ni. Unrhyw funud.

– O Iesgob!

Cyffrôdd Ilid drwyddi.

– Ti'n iawn! Ro'n i wedi anghofio, sut fedrwn i. Ar eu ffordd i weld Modryb yn Essex. Pryd ddeudon nhw? Y deuddegfed?

– Fory, meddai Arun.

– Well i mi ffonio heno.

– Teulu'r Llygod allan, meddai Maia.

*   *   *

Roedd ei mam yn ffwndro'n lân ar y ffôn.

– Dy dad sy'n gneud efo'r petha 'ma, Ilid, s'gin i'm syniad wir pryd 'dan ni'n cyrraedd. Ond mi fydd gynnon ni dipyn o bacia, achos 'mod i 'di hel hen ddillad i Olwen fel y deudodd hi, choeliat ti ddim . . .

– Ond fory, 'te, Mam?

(Mi wyddoch gymaint â hynny siawns, ysai am gael dweud yn reit siarp.)

– Ia, trên ben bora, syth ar ôl godro. Ond dim fory, Ilid, y diwrnod ar ôl fory.

47

Doedd bosib eu bod am ddal y trên saith?

Trwy drugaredd cyrhaeddodd ei thad o rywle.

– Wyt ti 'di darllan cerddi Waldo, Ilid?

– Fedra i'm deud fy mod i, Dad.

Roedd eisiau gras.

– Dotio o'n i rŵan ar ei ddisgrifiad o'r daffodil – 'Y cledd gwych ar y clawdd gwâr.' Ew, da 'di hwnna 'tê.

– Ia wir, dechreuodd Ilid ddweud.

– A wedyn ma' gin ti 'melyn gorn ym mlaen y gad'. Newydd orffan ma'r daffodils yn yr ardd 'cw, efo'r gwanwyn hwyr gafon ni.

– Mi oeddan nhw'n wych 'leni. Dad, isio gwbod pryd yn union rydach chi'n dŵad ydw i.

*   *   *

– Croen y ddafad felan . . .

– Tua chwynab allan . . .

– Troed yn ôl a throed ymlaen . . .

– Be 'di 'chwynab', Mam?

– Tu chwithig allan.

– . . . A throed i gicio'r nenbren!

Fyddai o'n bodloni ar hon ac un arall? Roedd hi wedi canu pedair arall o leiaf. Un fach dawel i'w suo.

– Chwarelwr oedd fy nhaid,

– Chwarelwr oedd fy nhad . . .

Newidiodd y geiriau yn y pennill olaf a rhoi 'ffarmwr' yn lle 'pysgotwr'. Plesiai hynny hi. Ac mi ddylai fod yna bennill am ffermwyr, diwydiant mwyaf Cymru wedi'r cwbwl.

– Ga i, Mam?

– Gei di be, Deio? Isio mynd i'r toilet wyt ti?

– Na! Bod yn ffarmwr. Achos dwi'm yn meddwl bod Medi a Llio isio bod.

– O, chdi i ffarmio'r Nant a Bryn Hudol i Yncl Gerallt felly?

– Ia. Dwi'm isio bod yn ddoctor. 'Di doctors byth adra, ond ma' ffarmwrs adra trwy'r dydd, tydyn Mam?

– Ydyn, 'nghariad i, mewn ffordd.

– Maen nhw'n mynd i ben draw'r caea. Ac i'r mart weithia, ychwanegodd Deio. – Ond adra erbyn cinio bob amser, 'tê Mam?

O, roedd o mor annwyl. Yn dweud pethau oedd yn cyffwrdd ei chalon o hyd; yn gwneud iddi lawenhau yn ei fodolaeth o.

I gyfeiliant mwmialganu 'Heno Heno' mi welai Ilid ei thad yn yr iard yn llwytho ŵyn, ar ben tractor yn hel llwch a mwgwd dros ei geg, yn plygu a thuchan dros ben y belar wedi torri, yn gwasgaru papurau wrth chwilio am ei ffurflenni treth yn y ddesg. Oedd, mi oedd Deio yn llygad ei le. Mi oedd ffermwyr adre; a doedd doctoriaid ddim.

Rhewodd wrth glywed sgrech o'r ystafell ymolchi.

– Hen liain bach gwirion 'di hwn! Ma' nghoesa i'n oer oer.

Sŵn crynu dramatig a rhincian dannedd. Go damia! Os byddai hi'n dal ati, mi fyddai'n sicr o gyffroi Deio a dyna'r holl ganu'n ofer. A gobeithio na fyddai Arun yn codi ei lais ormod.

– Wn i be 'nawn ni, mi gei di fenthyg 'y nressing-gown i, gei di weld braf fyddi di yn honno.

Gwich mynd a dŵad ei draed ar styllau'r landin. Chwerthiniad bach uchel, pleserus.

– Tyd, awn ni i sychu'r gwallt yna.

Cyffyrddodd y tynerwch yn Ilid, ac ar yr un pryd rhoes dro bach anesmwyth ynddi.

*   *   *

Wrth eistedd ar y soffa wrth ochor ei ferch teimlai Arun yn dendar drosto. Roedd gweld y cleisiau glasddu ar gluniau Maia wedi agor briwiau iddo yntau. Roedd o wedi gwadu erioed i'r gosb gorfforol a gawsai gan ei dad gael unrhyw effaith ar y cariad a deimlai tuag ato. Ond beth petai o wedi celu rhywbeth rhagddo ei hun? Ar ben hyn i gyd, roedd meddwl am adre wedi codi lwmp o hiraeth yn ei wddf.

– Da-ad! Ti mor bell i ffwrdd.

– Sori, *beti*. Wyt ti isio i mi ddarllen stori i ti? Ti'n edrych fel brenhines yn honna.

Mi oedd lliw coch tywyll y gŵn nos yn gweddu i'w gwallt tywyll a'i chroen brown. Serennai hithau ei bodlonrwydd arno rŵan.

Hanner awr yn ddiweddarach, a Maia yn ei gwely, daeth i lawr y grisiau ac i'r gegin lle roedd Ilid yn llwytho'r peiriant golchi llestri.

– Be 'nawn ni, agorwn ni botel o win?

– Mi ddylwn i fynd i fyny, i ddeud nos dawch wrth Maia.

– Reit. Oes 'ma win?

'Oes 'ma win?' 'S'gin ti goriander?' Ond penderfynodd frathu ei gwefus yn hytrach nag edliw a malu'r heddwch bregus.

– Tria'r ffrij. 'Naethon ni ddim yfed honno'r wsnos diwetha, naddo.

Roedd Maia'n swatio o dan ei chwilt. Gwelai gudynnau o wallt gwlyb ar y gobennydd – dim lliain chwaith. Arun! Plygodd Ilid drosti.

– Ma-ia! Wyt ti'n effro?

Dim ateb. Go brin ei bod hi'n cysgu mor sydyn. Be oedd hi am ei ddweud? Jest 'sori'? Neu mwy o sgwrs, trio egluro fod pethau wedi mynd yn drech na hi bore 'ma?

– Maia.

Efallai ei bod hi'n cysgu. Wedi'r cwbwl, roedd hi wedi cael diwrnod go lawn, styrblyd hefyd, ac wedi chwarae yn y parc a'r ardd am oriau. Gwyrodd Ilid nes bod ei phengliniau'n cyffwrdd y llawr. Rhoddodd ei gwefusau ar yr unig beth o Maia oedd yn y golwg, sef ei gwallt.

– Ma'n ddrwg gin i, 'nghariad i.

Roedd y dagrau'n dal yn ei llygaid wrth iddi adael y stafell, pan glywodd hi'r sibrwd.

– Mam! Lle ti'n mynd? Dwi ddim wedi cael sws!

Roedd cusanau Maia'n rhai brwdfrydig, union-gyrchol, yn blwmp ar wefusau Ilid.

– Hei ! Gad i mi gael fy ngwynt.

– Wel, rwyt ti wedi cal sws o'r blaen, do!

Roedd hi'n edrych mor siriol, doedd gan Ilid mo'r galon i godi pwnc y gweir. Pan orweddodd Maia unwaith eto o'r diwedd, gwasgodd ei braich a dweud:

– Rwyt ti'n annwyl, 'sti.

Wrth fynd i lawr y grisiau ffieiddiodd na fuasai wedi dweud ei bod yn ei charu, fel pan oedd hi'n fychan a phrin yn deall ystyr y geiriau.

Yfodd Arun ei win. Be oedd o? Rhywbeth digon asidaidd. Dyna be oedd i'w gael os mai Ilid oedd yn dewis gwin, yn taflu dwy neu dair potel o rywbeth gwyn sych heb fod yn rhy ddrud ar ben y troli cyn ei lusgo at y til. Rhyw lasiad neu ddau ar y tro oedd hi'n ei yfed, a'r hanner potelaid heb gorcyn yn mynd yn surach bob dydd.

Roedd o eisiau ffag. Ffag fach dawel ym mhen draw'r ardd. Ffag hir, synfyfyriol, ac arogl y mwg yn cymysgu â sent y blodau baco. Nefoedd nicotinaidd. Roedd ganddo esgus: mi oedd hi wedi anghofio ei ben-blwydd. Gallai bwdu. Ond nid dyna oedd ei ffordd o. A Iesu, roedd hi wedi bod yn anodd rhoi'r gora i'r ffags. Yn enwedig os oedd o a Shama ar yr un shifft a pherarogl mwg ar ei siaced ledr a'i gwallt. Roedd y nyrsys tu cefn iddo, pob un ohonynt bron wedi bod trwy'r un peth.

– Wyt ti wedi tywallt un i mi?

– Naddo. Sori.

Mi wnaeth. Llymeitiodd y ddau. Ochneidiodd Ilid.

– 'Di o ddim yn neis iawn, na'di.

– Mmm. Sauvignon Blanc. Hungary. 1986. Blwyddyn sâl, mae'n rhaid. Dim hanner cystal â 1965. Honno'n *vintage*.

Braidd yn amlwg, ond dyna fo wedi ei wneud rŵan.

– Oedd hi?

Roedd hi wedi troi ei chefn a throi am y lolfa, neu'r rhan gefn o'r ystafell fawr drwadd a ddefnyddient fel parlwr. Nid oedd ganddi awydd codi pwnc helynt Deio o gwbl. Doedden nhw byth yn cyd-weld lle roedd Deio yn y cwestiwn. Dim o amseriad ei genhedlu, ar nos Wener pan oedd Arun yn ffansïo tipyn o roli-poli diniwed ar y soffa, heb wybod bod ei llysnafedd hi'n felyndew lydiog a'r wy'n barod i blopian.

Doedd hi ddim wedi cael roli-poli ers hydoedd.

Roedd rhywbeth yn mynnu pigo ei hymennydd –

rhywbeth yn od ynglŷn â sylw olaf Arun – pam wnaeth
o enwi'r flwyddyn fel'na? 1965.

Roedd y crys denim yn gweddu iddo. Gwneud iddi
feddwl am y siaced ddenim yr arferai ei gwisgo – roedd
o'n uffernol o ddel yn honno. Rhyfedd bod glas mor
effeithiol weithiau efo croen brown.

Tri deg pedwar o flynyddoedd yn ôl. O, God.

– Dy ben-blwydd di! Wnes i anghofio! A'r plant!

– Wel, do'n i ddim yn disgwl . . .

– iddyn nhw gofio, na. Mae o ar y calendar.

– Ond dim yn dy feddwl di.

– Yli, ma'n ddrwg gin i. Diwrnod drwg 'di heddiw
'di bod.

Ond doedd hi ddim am ddweud yn llawn pa mor
ddrwg, rŵan hyn. Roedd yn siŵr o ddifetha popeth.
Symudodd i ben draw'r soffa, yn nes at y gadair
freichiau lle'r eisteddai o.

*   *   *

Prif deimlad y ddau ohonynt oedd gollyngdod. I Ilid
roedd profiad rhywiol fel dod â chwch i mewn i
borthladd a'r lôn longau'n guddiedig a dyrys. Mewn
dim o dro byddai wedi crafu'r gwaelod ar y tywod a
buasai'r holl ymdrech ar ei hochor. Ond y tro yma –
hwrê! – roedd hi wedi dod i'r lan yn saff, ac yntau efo
hi.

Roedd gan Arun ofn i'w flinder – tri deg chwech o
oriau heb gwsg – ei drechu, yn ogystal â'r ffaith ei fod
wedi tynnu'r min oddi ar ei gyllell, fel petai, yn y bore.
Duw a ŵyr be fuasai Ilid wedi ei wneud o'r peth, efo'i
thueddiad hi i weld arwyddocâd ym mhopeth. Arferai

chwerthin am ei phen ar y dechrau, yn poeni am hynt rhyw goeden rosod am eu bod wedi ei phlannu'r diwrnod cyn eu priodas. Ond roedd y peth wedi bod yn faen tramgwydd rhyngddynt. 'Pam na fedri di ddallt? . . . Sut nad wyt ti'n cofio?' Be ddigwyddodd y tro diwethaf y gwisgodd hi'r clustdlysau yma i'r gwely, yr union le roedd ei chnawd wedi rhwygo wrth eni Maia, pa gân . . .

– Wel, oedd o'n bresant pen-blwydd da?

– Y gora ges i.

– Gest ti rai eraill?

– Wel, do. Gan Mam.

– Fasa dy fam byth yn anghofio.

Fel yr oedd hi wedi gwneud. Ond sut nad oedd hi wedi gweld beth bynnag a gyrhaeddodd iddo? Doedd o rioed wedi dweud wrth ei fam ei fod yn treulio mwy o amser yn fflat ei ffrind rŵan nag yn ei gartref?

– Be sy?

– Dim byd.

Ochneidiodd Arun.

– O, ol-reit 'ta! Os 'di'n well gin ti wbod. Sut yrrodd dy fam rywbeth i ti? Welish i ddim byd yn fa'ma!

– Tro diwetha o'n i adra. Pryd oedd hi – bore Sadwrn. Mi gest di gysgu'n hwyr ac mi godais i efo'r plant.

– Wnest ti mo'i ddangos o, na rhoi'r cerdyn i fyny, na sôn dim!

– Na, mi wn i hynny.

Ochenaid arall.

– Wel, mi oedd hi'n crefu arna i i fynd adra i'w gweld hi. Ac wedi sgwennu yn Saesneg, er mwyn i ti gael dallt.

– O.

– Do'n i ddim isio ffrae. A hitha'n fora Sadwrn a'r plant adra a phob dim.

Cododd gwrychyn Ilid.

– O ia! Mi wnath hynny lot o wahaniaeth i ti. Mi est yn dy ôl cyn cinio hyd yn oed a 'ngadael i i glirio'r llanast.

Roedd Arun wedi hanner-addo mynd â'r plant i nofio yn y pnawn. Bu raid iddi hi fynd yn ei le, ac ar ôl iddi ddioddef y sleids dŵr a phob dim dywedodd Deio ar ddiwedd y dydd eu bod yn cael mwy o hwyl efo Dad, 'achos s'gin Dad ddim ofn'.

– Mae Deio angen gweld mwy ohonat ti. Mi gododd helynt mwya ofnadwy, a doedd 'na ddim fedrwn i 'neud i'w gysuro fo. Mae'r ysgol yn deud yr un peth. Ges i sgwrs efo'r brifathrawes heddiw.

– Chdi ofynnodd am ei gweld hi?

– Na, hi ofynnodd am fy ngweld i.

– I siarad am Deio? Ydyn nhw'n poeni amdano fo?

– Wel, ydyn, mewn ffordd. Mi ddigwyddodd 'na rywbeth.

Oedodd.

– Wel?

– Mi frathodd Deio ryw hogyn bach arall.

– Uffern dân!

Pwnshiodd y glustog.

– Ti 'rioed yn deud wrtha i fod hynny wedi dechra eto. A ninna'n meddwl 'i fod o wedi tyfu allan o'r peth o'r diwedd!

– Dim ond unwaith . . .

Yna cofiodd be ddywedodd Mrs Stewart am droeon o'r blaen, a stopiodd.

– Fydd gynno fo ddim ffrindia, 'sti! Does neb yn mynd i wadd plentyn fel 'na draw i chwara.

– *Mae* gynno fo ffrindia, Arun! Mae o *yn* cael gwadd i bartïon pen-blwydd a ballu.

– Pwy sy'n mynd i fod isio chwara efo hen fwli bach sy'n cicio a brathu a chrafu? Mi ddylan ni fod wedi trin y peth yn wahanol iawn o'r dechra.

– Ond Arun! Gwranda am eiliad, cyn atgyfodi pob hen fwgan! Yn y bôn mae o'n hen hogyn bach iawn . . .

– Dyna ni! 'Mae'r hogyn yn iawn!' Dyna sut wyt ti wedi bod efo fo o'r dechra. Fedar o wneud dim byd o'i le.

– . . . sy'n gwneud ffrindia – mi oedd Simon yma dydd Llun i de, a Deio efo criw o hogia erill yn nhŷ Simon yn chwara ffwtbol ar ôl 'rysgol dydd Mercher. Chdi sy ddim yma i weld, Arun, dyna'r gwir amdani.

– Dyna fo. Chdi a fo, Ilid. Yn dallt eich gilydd i'r dim. Wnei di ddim gwrando ar ddim un safbwynt arall.

Gafaelodd Ilid yn ffyrnig yn ei chrys-t a'i sodro amdani. Lle ddiawl oedd ei nicyr?

– Diwedd da i noson o garu!

A 'mhen-blwydd i, meddyliodd yntau. Mae'n siŵr ei bod hi'n rhy hwyr iddo argymell rŵan eu bod yn gadael iddi ac yn estyn y botel Macallan am un bach.

– Nos dawch!

Martsiodd allan yn swnio ac yn edrych yn debyg iawn i Maia, yn nhyb Arun.

Cododd Arun a mynd yn noethlymun at y dresl. Cyrcydodd ac ymbalfalu ymysg y poteli. Sieri, Pernod, Martini, ddim gwaeth. Doedd Ilid ddim yn troi at ddiod gryf yn ei hargyfwng. 'Dwyt ti ddim yma i weld.' Dyma'r wisgis yn y pen draw, potel foldew y

Tobermory, sowldiwrs tenau y Gymdeithas Chwisgi. A, dyma hi'r Macallan. Cododd ar ei draed ac estyn gwydryn grisial, presant priodas, a hanner ei lenwi â'r hylif hyfryd. Nos da, Ilid. Mi ga i hyn yn gysur o leiaf.

Safodd Ilid yng nghawell ei hystafell ei hun a sbio o'i chwmpas. Oedd, roedd hi'n stafell fach ddel. Hi ei hun oedd wedi rhoi lliw ar y waliau, porffor ysgafn, a gosod bordor blodeuog – gwyddfid a rhosod gwyllt. Roedd yma le tân bach haearn gwreiddiol, a roedd y gadair siglo lle magodd hi Maia a Deio yn ffitio'n berffaith yn y gornel. Ond heno roedd hi wedi dechrau gobeithio am rywle arall, waeth pa mor flêr, i gysgu.

4

Bu'n gyrru o gwmpas am dipyn yn chwilio am y lle. Roedd yr haul, y gwelwyd cyn lleied ohono y mis Mai yma, wedi dod allan a dechreuodd deimlo'n annifyr o boeth yn ei jîns a'i thop llawes hir. O'r diwedd gwelodd yr adeilad ar ffurf bocs llwyd, blêr yn un o'r strydoedd cefn. Ar bob ochor iddo ymestynnai tai teras cul yn pwyso ar wynt ei gilydd. Doedd dim hanes o'r Deptford yr oedd hi'n ei adnabod. Dim High Road, dim marchnad, dim Albany, dim golwg o'r ganolfan hamdden yna efo'r pwll nofio a'r peiriant tonnau.

'Greenwich and District Family Centre' meddai'r arwydd ger y drws. Roedd hwnnw'n gilagored, ac arwydd arall, y tro yma mewn llythrennau breision wedi eu printio â llaw, arno'n gwadd:

WELCOME TO OUR CENTRE!
FAMILY TENSIONS?
FEELING LOW?
TALKING CAN HELP!
COME IN AND HAVE A COFFEE AND A CHAT
Parents, Carers and Toddlers: Tues, Thurs 10.30 – 12.0
Lone Parents: Mon, Wed 11 – 12.30.

Rhiant sengl oedd hi, bron.Yn sicr roedd hi wedi profi tensiynau teuluol. A bore Mercher oedd heddiw. O un ar ddeg tan hanner awr wedi deuddeg . . . stryffagliodd i weld ei wats, o'r golwg dan ei llawes. O, pum munud ar hugain wedi deuddeg. Bron ar ben. Ond ella y câi baned a chyfle i sbio o'i chwmpas. Os oedd hi'n cofio'n iawn, dylai fod yna fwrdd hysbysebion, i fyny'r grisiau.

Grisiau concrid a waliau efo'r briciau'n dangos, fel fflatiau cyngor a adeiladwyd yn y saithdegau. Drws. Yr ochor draw iddo, *linoleum* reit smart ar lawr y coridor. Safodd yn ei hunfan. Clywodd leisiau plant tu ôl i'r drws ar y chwith, a suddodd ei chalon. Wnaeth hi ddim meddwl y byddai'r rhieni sengl yn dod â'u plant efo nhw, rywsut.

Agorodd y drws a daeth dwy ferch drwyddo.

– don't even think about it, I said.

– he don't deserve nothink, after what he done . . .

Cadwodd yr un benfelen y drws yn agored iddi hi, ac aeth hithau drwyddo'n ufudd.

Cafodd ei hun mewn stafell sgwâr, ganolig ei maint. Brown oedd yr argraff gyntaf a gafodd, fel rhyw dwnnel neu ffau danddaearol. Sylweddolodd nad oedd yna ffenestri, ac mai gwan oedd y golau a deflid gan y lampau ar y waliau. Craffodd – oedd, roedd y wal ar y

58

chwith wedi ei gorchuddio gan arwyddion o bob math a maint. Roeddynt yn dal yno, felly! Ym mhen arall y stafell cawsai gipolwg ar symudliw y pwll peli lle roedd Maia wedi bwrw ei hun mor ddiddig, a medrai weld twll yn y wal gyferbyn a chwpanau'n sefyll ar y silff. Daeth pen trwy'r ffenest, a gwallt hir a sbectol ganddo.

– Oes 'na rywun arall isio te ne goffi? Ne dwi'n cau.

Oedodd Ilid. A oedd hi eisiau cael ei dal yma? Er mai dim ond dau oedd ar ôl, yn ôl pob golwg, merch a'i phen mewn pamffled a dyn ifanc efo plentyn yn y pwll peli.

– Beth amdanoch chi? Dach chi'm 'di ca'l un, naddo?

Edrychai'r sbectol arni hi. Rhyw olwg hoffus, fel ci oedd eisiau plesio.

– Naddo.

– Ma' gynnon ni *ginger nuts* 'yfyd.

Chwarddodd Ilid.

– O'r gora, 'ta. Coffi. A *ginger nut.*

Safodd i yfed y coffi a oedd, trwy ryw wyrth, yn goffi da. *Percolator.* Roedd rhywun yn teimlo fod rhieni sengl yn haeddu coffi da. Aeth y fisged yn slwj sinsiraidd ar ei thafod ar ôl ei throchi yn y coffi. Aeth draw at y pared a dechrau darllen. Dillad merch saith i wyth, mewn cyflwr da. Coets Mamas & Papas i ddau, yn cynnwys gorchudd glaw ac ambarél haul. Gwraig gyfrifol yn cynnig gwarchod am bedair punt yr awr. Gwersi Eidaleg. A, dyma welliant – Therapi, i unigolion a pharau . . .

– Eich tro cyntaf?

O dyma hi wedi cael ei dal rŵan! A dim gan yr hogan sbectol chwaith ond merch fwy awdurdodol yr olwg, yn gwisgo sgert ddenim dynn, laes, ffasiynol.

– Lucy Adams. Wy'n gyfrifol am redeg y gwasanaeth 'ma.

– O, a dweud y gwir dydw i ddim yn riant sengl go iawn. Hynny yw, mae 'ngŵr i'n dal i fyw adre, ond 'i fod o byth acw.

– Wy'n gweld.

– Gwasanaeth i ardal Greenwich ydi hwn, 'te, ma'n siŵr. Go brin fod Blackheath yn dod o dan Greenwich, dwi'n weddol sicir mai Lewisham a North Southwark ydan ni.

– O peidiwch â phoeni am hynny. Be ddoth â chi yma heddiw?

Rhythodd Ilid arni a sŵn arswyd yn rhuo fel trên trwy ei phen.

– Steddwch am funud, meddai Lucy, mi a' i i mofyn rhagor o goffi i ni.

– Wel. Ffrae.

Sipiodd ei choffi. Roedd hwn yn oerach na'r cyntaf ond yn chwerw, fel petai'n cynnwys tipyn o waddod.

– Eich gŵr?

– Naci, fy merch.

Wnaeth Lucy ddim byd ond edrych yn glên ar Ilid.

– Cyn mynd i'r ysgol, ddoe.

– Amser ofnadwy o'r dydd.

– Ia! Ofnadwy!

Roedd ei llais yn groch a bygwth dagrau ynddo.

– Be ddigwyddodd?

Roedd rhaid peidio, peidio â dweud wrth hon.

– Mi . . . mi fynnodd wisgo rwbath oedd llawer yn rhy fach iddi hi.

– A wnâi hi ddim newid?

– Na. Wel, mi wyddwn i na wnâi hi ddim. Dim heddiw oedd y tro cynta iddi 'neud hyn. D'es i ddim i wastraffu fy amser.

– Amser yn brin?

– O, odd! Dim ar y dechra, roedd gynnon ni ddigon o amser. Ond mi ath yn brin.

– Fel 'na welwch chi bob tro.

– Ia! Dyddia yma. Do'n i ddim yn arfar bod fel hyn chwaith, cofiwch. Ro'n i'n arfar bod yn drefnus, byth yn hwyr.

– Be wnaeth newid pethe, ddyliech chi?

– Deio.

– Deio . . . eich merch?

– Na, fy hogyn bach i ydi Deio.

Wyddai Ilid ddim tan rŵan mai Deio oedd wedi newid pethau. Oedd Maia, felly, yn rhan o'r drefn, ac yntau wedi ei chwalu?

– Ond ddoe . . .

– Dwi'm isio sôn am ddoe!

O na! Dyna hi wedi brathu llaw y ddynes rŵan, am iddi dwtsiad y man tendar yna. Roedd hynny'n mynd i wneud argraff ofnadwy.

– Sori.

– Peidiwch â bod. S'dim angen i chi sôn am ddim os nad ych chi moyn.

Dim angen? Ond mi oedd angen. Roedd angen dweud arni, roedd hi'n torri ei bol eisiau dweud, eisiau i Lucy ei sugno allan ohoni fesul dafn.

– Ond ro'n i'n meddwl fod deud yn beth da.

– Odi, yn eich lle a'ch amser eich hun.

A dim rŵan oedd hynny felly, yn ôl Lucy. Ac yn awr teimlai Ilid awydd dweud pob dim ar draws ei gilydd, tynnu pob rhithyn o ragrith oddi amdani, rhwygo ei pharchusrwydd fel mam ac athrawes, blingo croen ei chydwybod.

– Dwi isio . . .

Ond roedd Lucy wedi codi a chroesi at ochor draw y stafell. Cydiodd mewn cerdyn a'i dynnu oddi ar y wal. Cynigiodd ef i Ilid.

– Ewch i weld Hannah. Mae hi 'di gwneud llawer o waith da gyda ni. Ac yn Gymraes, fel chithe . . . Cymraes odych chi, 'te . . . O'n i'n meddwl. Perffaith. Ac mae'n sobor o ddrwg 'da fi, ond ma'n rhaid i ni gau nawr. Cyfarfod yma 'mhen deg munud.

Dyma Ilid unwaith eto ar y pafin tu allan i'r Ganolfan Deuluol, ond y tro yma efo cerdyn bach yn ei llaw. Craffodd arno.

Hannah Rees Cameron, BA, MA (Psych), Dip Couns.
BAC accredited
Counsellor/Therapist
Cognitive/Gestalt approaches
London, SE8

Hannah Rees. Gallai fod yn enw Cymraeg. Ond eto, go brin y byddai hi'n siarad Cymraeg – felly beth oedd diben mynd ati hi mwy na rhywun arall? A be oedd arwyddocâd y 'cognitive' a 'Gestalt'? Ddylai hi ddim cael crap ar y syniadau tu ôl iddynt, cyn cysylltu â'r ddynes? Roedd yn gas ganddi fod yn ddiwybod, yn ddiamddiffyn. Sut y medrai hi ymddiried yn rhywun a hithau'n gwybod cyn lleied yn ei chylch, dim ond ar ddweud y Lucy yna? A daeth pwl o wrthryfel trosti. Pa hawl oedd gan Lucy Adams i ddewis therapist iddi hi, ei gosod ar blât fel yna a'i rhoi o'i blaen? Pam na châi hi ddewis ei therapist ei hun, cael pori trwy'r hysbysebion ar wal y Ganolfan neu fynd trwy *Time Out*? Dim ond am ei bod hi'n Gymraes! Dyna fo, ei chenedlaetholdeb yn dewis pethau trosti. Yn cyfyngu pethau yn lle ehangu gorwelion, yn ei gwasgu.

Gwasgu. Gwasgiad. 'Rhoddodd Morwen wasgiad bach i Alffi wrth ddweud nos da . . .', brawddeg yr oedd wedi ei darllen d'wn i'm faint o weithiau i Maia ac i Deio. Ond doedd yn dda ganddi mo'r hen air gwneud yna, gwasgiad. Ac roedd hi'n ofni nad y gair yn unig oedd y broblem chwaith. *Doedd* Cymry ddim yn gwasgu ei gilydd. Dim ond mewn argyfwng fel marwolaeth y byddai teulu Ilid yn gwasgu'r naill a'r llall.

Mi oedd hi wedi trio bod yn wahanol efo'i phlant ei hun. Wedi trio gwneud yr hyn na chafodd ei wneud iddi hi, wedi trio dweud yr hyn na ddywedwyd.

A dyma be lwyddodd hi i'w wneud! Hi a'i syniadau, a'i herio a'i gwybod yn well.

Rhuthrodd i mewn i siop bapur newydd a phrynu rhifyn diweddaraf *Time Out*. Doedd yna nunlle i eistedd, felly trodd y tudalennau wrth gerdded nes dod o hyd i'r hysbysebion personol. *Hypnotherapy, Primal Therapy*. Na. Roedd rheina'n ormodol dros-ben-llestri, yn apelio at bobol a oedd, yn ei thyb hi, y tu hwnt i resymeg. Beth am hwn? *'Graham Thoms, Counsellor specialising in rebuilding personal relationships, self-esteem.'* Swnio'n addawol. Neu hwn: *'Psychotherapy leading to individuals' and couples' personal growth. South London. Jonathan Taylor.'* Roedd y rhain yn apelio llawer mwy na hysbyseb sych Hannah Rees Cameron, efo dim ond argyhoeddiad Lucy i'w iro.

Gwelodd flwch ffôn coch, henffasiwn ac anelu amdano efo'r cylchgrawn agored yn ei llaw. Deialodd rif Jonathan Taylor. Gwrandawodd ar ei neges, a'i lais ysgafn, di-acen. Rhoddodd y ffôn i lawr.

Roedd ysgrifenyddes Hannah Rees-Cameron yn meddwl bod ei chyflogwraig yn medru Cymraeg, 'er mai yn Saesneg y bydd hi'n gweithio'. Felly'n wir, meddyliodd Ilid. Cynigiodd y ferch, a swniai'n hynod o glên mewn ffordd slic, y medrai Ilid grybwyll y peth hefo hi, petai hi'n dod am sesiwn arbrofol. Pwysodd Ilid ei thalcen yn erbyn chwarel wydr yr hen focs ffôn. Er gwaetha'r gwres oedd yn cynyddu, ogleuai o baent a rhywbeth yn fythol wlyb ynddo. Daeth wyneb yn wyneb â dynes ddu, nobl, mewn tipyn o oed. Cododd ei haeliau'n awgrymog ar Ilid. Oedd hi'n mynd i fod yn hir iawn ar y ffôn?

– Nos Fawrth, meddai'r ysgrifenyddes, saith tan ddeg munud i wyth.

– Amhosib, mae arna i ofn, meddai Ilid, gan egluro mai dyna pryd y byddai hi'n trio cychwyn rhoi'r plant yn eu gwelyau.

– Mae'n ddrwg gen i, meddai'r wraig, ond dyna'r unig fwlch sy gin i ar y funud.

Edrychodd y ddynes tu allan ar ei wats, ac wedyn i fyny'r stryd fel petai hi'n disgwyl bỳs. Hoeliodd ei sylw ar Ilid unwaith eto. Sylweddolodd hithau bod ei thawelwch yn ei thagu.

– Mi ydw i angen . . . ei gweld.

– Heblaw eich bod yn rhydd yn ystod y dydd, ychwanegodd y ferch heb lawer o obaith.

– Ond mi ydw i! Bob dydd o hanner awr wedi naw tan dri.

Diolch byth! Mi gâi adael i'r ddynes yna ddod i mewn o'r diwedd. Ond roedd yn rhaid cael y cyfeiriad llawn, a'i selio ar ei chof (dim beiro), a rhoi manylion amdani hi ei hun, enw, rhif ffôn – rhag ofn y byddai yna ryw anhawster yn peri na fedrai Hannah ei gweld bore fory wedi'r cyfan.

Bore fory! Teimlai ei hun yn gadael y ddaear ac yn siglo gerfydd *chandelier* uwchben cafn gwag, a'r llwyfan yn serennu'n fychan fel Fenws oddi tani. Ac eto, os oedd hi'n gafael yn sownd ac yn cau ei llygaid, rhaff oedd yna i'w thynnu hi i ddiogelwch.

O diar, meddyliodd wrth ffarwelio â'r ysgrifenyddes, mi fydd y wraig yna'n barod i roi cweir i mi efo'i hambarél erbyn hyn. Ond pan agorodd hi ddrws y blwch a gadael i aer caeedig, stêl, y blwch nadreddu tuag at aer llygredig y ffordd fawr, doedd yna ddim hanes ohoni. Na chefn bỳs i'w weld yn diflannu chwaith.

O, roedd hi'n boeth. Stryffagliodd allan o'i thop trwm, a sylwi ar siop fach flêr efo arwydd WALLS ICES rhydlyd o'i blaen. Aeth i mewn a phrynu Orange Maid iddi hi ei hun. Roedd y blas yr un fath yn union, blas oren ffres neis ac wedyn y sawr metalaidd annifyr a arhosai ar y tafod. Roedd ganddi amser i fynd i lyfrgell Greenwich i wneud ychydig o waith ymchwil ar y therapi yma, cyn troi yn ei hôl i nôl y plant o'r ysgol.

5

– Cofiwch, dim ond cyfarfod cyntaf ydi hwn. Rhyw gyfle i chi fy nhrio i, i weld a fedrwn ni gydweithio.

– Mae'n gwneud i mi feddwl, meddai hi wrth Hannah, braidd yn wamal – am pan fyddai Mam yn dod â dwy neu dair ffrog adre o Siop Nelson, i ni gael eu trio amdanom. 'Ar appro' fyddai hi'n galw hynny.

Chwarddodd Hannah.

– Dyna fo, cewch weld a ydw i'n eich siwtio.

Doedd y syniad o fod dan archwiliad ddim i'w weld yn amharu dim arni. Pwysai yn ei hôl yn ei chadair freichiau (pren golau, modern, lluniaidd) a'i dwylo'n gorwedd ar ei glin. Ond eto synhwyrai Ilid hi'n newid, fel petai cyhyrau ei meddwl yn tynhau ac yn eu paratoi eu hunain.

– Well i mi sôn ychydig am sut y bydda i'n gweithio cyn i ni gychwyn.

– Mi wnes i ddarllen rywfaint am gwnsela cyn dŵad yma.

– O, ie?

– Canolbwyntio ar wrando heb fynegi barn oedd un o'r petha hanfodol yn ôl be welais i.

– Ie, i raddau, mi faswn i'n cytuno. Ond o fewn hynny mae yna sawl ffordd o wrando. Un peth fydda i'n ei wneud ydi gwrando am y themâu, y llinyn sy'n rhedeg drwy'r stori . . . mae o fel pysgota yn afon eich geiriau os leciwch chi, yn trio dal rhywbeth o bwys, rhywbeth sy'n arwain at gysylltiadau diddorol. Ond dim ond chi fedar ddweud wrtha i be ydw wedi ei ddal – tecell pres ynte hen esgid!

– O. Ddois i ddim ar draws y dehongliad yna.

– Mae 'na lawer o ffyrdd gwahanol o weithio. Mi ddarllenoch am waith Gestalt?

– Do, rhyw 'chydig.

Doedd hi ddim mor awyddus y tro yma i ddangos ei gwybodaeth.

– Wel, mi wyddoch felly fod Gestalt yn pwysleisio ochor ddeinamig y meddwl – yr hunan?

Nodiodd Ilid ei phen.

– ac mai pwrpas gwaith Gestalt, fel rheol, ydi dod â'r elfennau pwysig i'r amlwg. Gadael iddynt gael dweud eu dweud.

– Fel chwarae rhannau – bod yn rhywun arall a chi'ch hun . . . neu ddwy ran ohonoch chi'ch hun.

Fedrai hi ddim maddau.

– Yn union. Mi fedra i roi enwau llyfrau i chi os hoffech chi ddarllen mwy.

– Mi faswn i'n lecio hynny.

– Rŵan, meddai Hannah, beth am i ni ddechrau?

Roedd hynny'n atgoffa Ilid o'r capel. Ddim y geiriau chwaith. Yr awyrgylch ddwys. Rhywbeth ar fin cychwyn. Rhywbeth yn dew yn yr awyr, rhywbeth tu allan yn cael ei wadd i fewn – neu rywbeth tu fewn yn cael ei wadd allan. Plygodd ei phen, a syllu ar estyll pren golau llawr Hannah. Dim fel hyn yr oedd hi wedi dychmygu'r tŷ, yn las a melyn, yn olau fel bwrdd llong wedi ei sgwrio.

– Mi fedrech gychwyn trwy ddweud tipyn amdanoch eich hun. Eich hanes.

Be, o'r dechrau un, dweud stori ei bywyd? Fe ges i 'ngeni yn Ysbyty Dewi Sant ym Mangor ym 1962 a weithia dwi'n meddwl mai yno yr ydw i byth, mewn cot yn disgwyl i 'mywyd ddechrau.

– Neu, os 'di'n well gennych chi, mi fedrech neidio i mewn, fel petai, a sôn am rywbeth sy newydd ddigwydd, neu sy'n eich poeni.

Roedd hi'n sefyll ar ben carreg fawr wrth ymyl pwll yn yr afon a'r dŵr yn troi'n araf. Rhoddodd ei breichiau efo'i gilydd uwch ei phen. Petrusodd. A chafodd y teimlad fod rhywun y tu ôl iddi, yn ei gwthio!

– Y plant. Ma' gin i ddau. Hogan chwech oed. Hogyn pedair. Newydd ddechra'r ysgol. Mae pethau'n o lew efo fo, heblaw am ryw helynt fach yn yr ysgol – er na fasa Arun ddim yn cytuno chwaith . . .

– Eich gŵr?

– Ia. Ond dydi o'm adra rhyw lawer y dyddia yma, o achos ei waith . . .

– Gorfodaeth?

– Na, o ddewis.

– Mae'n ddrwg gen i, mi oeddech chi'n sôn am eich mab . . .

– Deio.

– Deio.

Saib.

– Mi ddigwyddodd rhywbeth yn yr ysgol?

– Wel, do. Mi frathodd o rhywun. Ond a deud y gwir, dim hynna sy'n fy mhoeni, dim mewn gwirionedd . . .

Daeth ton o gywilydd trosti a thynnodd ei llaw dros ei thalcen. Distawrwydd.

– Cymerwch eich amser.

Sut yr oedd hi am boeri'r peth yma allan?

– Mi oedd y brifathrawes wedi gofyn am fy ngweld i. Ynglŷn â'r busnes Deio 'ma. Ond wyddwn i mo hynny – mi adawson neges, ond ches i moni. Felly mi feddyliais i'n syth mai am *Maia* roedd hi isio sôn.

– Eich merch?

– Ia. Sori.

– A sut felly . . .

– . . . mai amdani hi feddyliais i?

– Ie.

– Am 'mod i 'di churo hi'r bore hwnnw. Yn galed.

Roedd hi wedi dweud. Cipedrychodd ar wyneb Hannah, ond doedd dim ymateb pendant i'w weld yno.

– Dyna pam roedd rhaid i mi ddŵad i'ch gweld chi.

Teimlai'n llipa a diymadferth.

– Dyma'r tro cyntaf i chi frifo'ch merch?

Daeth ei hateb trwy fariau'r bysedd oedd tros ei cheg.

– Na.

Arhosodd Hannah.

– Oedd y tro yma'n wahanol?

Oedd. Nagoedd. Fedrai hi ddim dweud. Roedd yna un teimlad yr un fath bob tro, rhyw wallgofrwydd yn cael ei ben yn rhydd, fel llanw coch buddugoliaethus yn sglefrio dros bob morglawdd. Roedd yna ddau lun yn ei chof ar unwaith, fel ffilm wedi ei thynnu ddwywaith, un o goes Maia a'i llaw hithau'n cythru amdani, a'r llall o Maia'n sefyll yn stond ar lwybr glan y môr. Ar streic. A hithau'n berwi gan ddicter, fel bore 'ma, ar fin chwythu . . .

– Pam na ddisgrifiwch chi be sy yn eich meddwl rŵan wrtha i?

– Wel. Roeddan ni wedi bod yn lan y môr am y pnawn. Un o lan moroedd Pen Llŷn. Penllech. Llond dau gar ohonan ni – plant fy mrawd, Gerallt – ond ei wraig o, Siani, oedd efo ni. Mae'u plant nhw dipyn yn hŷn na'n plant ni. Medi a Llio, un yn naw a'r llall yn wyth. Wedi callio. Roedd 'na ffrind hefyd y diwrnod hwnnw, Non. Mae Maia wrth ei bodd efo nhw, cael bod efo'r genod mawr. Mi aethon nhw am dro ar eu penna'u hunain yn ystod y pnawn i weld ogof. Mae o'n draeth bendigedig – fuoch chi 'rioed yno? Na? Un mawr agored, tywodlyd. Mae cymaint o draethau bychan yr ochor ogleddol i'r penrhyn, ond un mawr ydi Penllech.

Cymerodd ei gwynt ati.

– Mae'r ochrau glaswelltog yn dŵad i lawr at y traeth, bron, ac mi welwch ambell ddafad yn pori. Ffrwd fach yn rhedeg i lawr tua'r môr. Fan'no fu Deio am hanner y pnawn yn adeiladu wal fôr efo cerrig a thywod. Dim cychod na sgio dŵr na dim – achos does 'na ddim lôn yn arwain yno, dim ond llwybr sy'n rhedeg gyda glan yr afon. Roeddan ni wedi cael pnawn braf, braf.

Wyneb astud Hannah.

– Erbyn diwedd y pnawn roeddan ni 'di llwyddo i ga'l pawb yn ôl yn eu dillad, a Siani a finna wrthi'n hel petha at ei gilydd. Fedran ni ddim dod o hyd i sandal blastig Deio – chwilio a thyrchu yn y tywod. A phan edrychon ni i fyny, mi welan y genod i gyd yn y môr, yn un rhes, yn neidio i mewn i'r tonnau. Yn eu dillad. Mi aethon ni i lawr at ymyl y dŵr a gweiddi arnyn nhw i ddod yn ôl, a rheini'n gwrando dim. Ac wrth gwrs mi syrthiodd Maia a Llio i'r dŵr dros eu penna. Doeddan nhw ddim isio dod o'na wedyn chwaith – y ddwy hyna ddaeth gynta ar ôl sylweddoli ein bod ni o ddifri – a'r ddwy arall ar ôl mwy o floeddio a bygythio, a'u dillad yn glynu wrth eu croen.

– Wel rywsut mi ffeindion ni rywbeth i'w roi amdanyn nhw – crys-t i mi am Maia, a siwt nofio sbâr efo tywel am ei chanol i Llio – ac mi gychwynnon yn ein holau efo'r paciau, pawb yn cario basged neu liain neu fag plastig neu bwced a rhaw. Hanner ffordd at y ceir mi stopiodd Maia a d'âi hi ddim cam ymhellach. Dechreuodd grio. Roedd arni angen nicyr. Ei phen-ôl a rhwng ei choesa'n llawn o dywod. Dwi'n anghyffyrddus, meddai hi trwy ei dagrau, drosodd a throsodd. A fedra neb ei chario hi – roedd ganddon ni ormod o drugareddau. A dyna lle buon ni. Fi'n trio rhesymu efo hi. Dweud y câi hi fynd i'r bàth yn syth ar ôl cyrraedd adref, i gael gwared o'r tywod. Dweud fod gin inna dywod rhwng bodia 'nhraed, peth sy gas gin i, ond fod rhaid i minna ddiodda. Siani yn adrodd sut y bu raid i Medi fynd o gwmpas Sw Caer am ddiwrnod cyfa heb nicyr unwaith, ar ôl ei wlychu ar y bỳs trip Ysgol Sul. Medi'n cynnig tynnu ei nicyr hi a'i roi i Maia. A honno'n dweud:

– Ond mi fydd ei nicyr hi'n rhy fawr i mi. Fydd o'n syrthio!

– O Iesu Grist, meddwn i wrth Siani.

– Paid â difetha popeth! gwaeddais ar Maia. – Y pnawn braf 'dan ni 'di ga'l!

Ac mi es i edliw mai ei bai hi oedd o am fynnu mynd yn ôl i'r dŵr a syrthio i mewn.

– Peth gwirion i'w 'neud, Maia, a chditha'n gwbod yn iawn nad oedd gin ti ddim mwy o ddillad sych.

A'r pnawn a'r hwyl yn raflio o'n cwmpas ni. Wynebau sorllyd Deio a Llio, golwg wedi syrffedu ar y genod mawr yn symud o un droed i'r llall. Finna'n mynd yn fwy a mwy ffyrnig efo Maia, hithau'n caledu pob eiliad efo'r grasfa, nes o'n i'n dyheu am gael gafael ynddi a'i hysgwyd hi nes oedd ei llygaid hi'n rowlio yn ei phen.

Stopiodd.

– Ac mi ddaeth Siani i'r golwg efo nicyr. Un sbâr yn digwydd bod ganddi yn y car, meddai hi. 'Lwcus 'mod i'n un flêr, 'tê,' meddai wrth Maia wrth ei helpu i'w roi amdani, a'i llygaid yn glwyfedig ar ôl yr holl grio, 'ne mi faswn i wedi taflu hwn ers blynyddoedd, hen un i Llio ydi o.' Ac mi oedd hi mor ffeind wrth Maia, a finna ar fin hanner ei lladd hi.

Roedd Siani wedi cyfaddef yn nes ymlaen mai dyster i llnau'r car oedd y nicyr, ac roedd y ddwy wedi chwerthin am ben y peth efo'i gilydd. Meddai rŵan:

– Felly oedd hi ddoe hefyd, 'mond nad oedd 'na ddim Siani, neb o gwmpas i'm hachub i.

Sylweddolodd fod a wnelo diflaniad Arun o'u bywyd bob dydd â digwyddiadau'r bore. Edrychodd ar Hannah: fyddai hi'n sylwi ar hyn? Ond tynnu cadair wellt tuag ati oedd Hannah. Gadawodd i'w llaw aros ar gefn garw'r gadair.

– Rown ni drei bach ar hyn . . . falla na wneith o ddim gweithio, ond mae'n bosib y gwneith o.

Roedd o'n swnio fel seans, neu hypnosis. Ond doedd arni ddim ofn; roedd tôn ei llais hi mor ddi-lol.

– Rŵan. Dwi am i chi fod yn Ilid y fam, yn union fel yr ydach chi, yn fan'na. Ac mi geith hon – rhoddodd bàt i gefn y gadair – fod yn un o'r merched bach yn y dŵr.

– Maia?

– Dim yn angenrheidiol. Dowch yma rŵan.

Symudodd Ilid yn anfoddog. Teimlai'n wirion. Eisteddodd ar wifrau cnotiog y gwellt. Wynebai'r ffordd arall rŵan. Roedd wal o'i blaen a dim byd arni.

– Rydych chi yn y môr, yn neidio dros y tonnau. Mae'ch coesau chi'n wlyb . . .

O Iesgob, roedd hyn yn dwp.

– dyma don fawr yn dod! Watsiwch eich hunan!

Yn reddfol, aeth corff Ilid trwy'r ystum o neidio, a theimlodd oerfel cynnes môr yr Iwerydd yn gafael amdani. Yn ansicr braidd, dywedodd:

– O'n i'n lecio hynna. Gafael yn fy llaw i, ma' 'na un arall ar y ffordd.

Ffliciodd ei llygaid at Hannah, ond edrych i lawr roedd honno.

– Oedd hynna'n iawn?

– Ton fawr arall!

Amgylchynodd y don Ilid unwaith eto, a theimlodd ei choesau'n cael eu codi gan y lli. Ymestynnodd am law wlyb ei ffrind. Pan giliodd y don, meddai:

– Dwi'n 'lyb soc! A chditha.

Roedd y peth yn ddigri iawn.

– Dacw Mam ar y traeth, meddai Hannah.

– Dwi'm isio gweld Mam! Neith Mam ddifetha'n sbort ni. A fedra i'm clywed un dim. Ma'r môr yn gneud gymaint o dwrw. Tyd, beth am fynd yn bellach allan? W, un fawr fawr yn fan'cw!

Y tro yma disgynnodd nes oedd dŵr heli'n llenwi ei cheg a'i llygaid. Saethodd yn ôl i'r goleuni yn poeri chwerthin.

– Mae Mam yn dal i ddisgwyl. Be dach chi eisiau 'i ddweud wrthi hi?

– O Mam, dos o'ma! 'Dan ni'n cael hwyl. Gad lonydd i ni. Plîs! 'Dan ni'm yn gneud dim byd o'i le.

– Ewch yn ôl, a gwrandewch.

Symudodd yn ei hôl. Clywodd ei hun yn rhoi ochenaid. Ceisiodd ufuddhau i Hannah – doedd o ddim yn hawdd weindio eich geiriau eich hun fel rhywun arall yn ôl, ond mi glywodd y llais ifanc yn byrlymu, yn chwerthin, y 'Dos o'ma'.

– Fasach chi'n lecio dweud rhywbeth wrthi hi?

– 'Di o'm yn deg. Bod chi'n cael hwyl a finna'n gorfod . . . cadw trefn. Rhoi stop.

Deud y drefn.

– Dewch yn ôl yma eto. Gwrandewch.

Gwrandawodd ar y gŵyn.

– Ond pam na ddoi di i fewn 'ta? Tyd i'r môr aton ni!

Heb i Hannah ofyn iddi, symudodd Ilid ei lle.

– Fedra i ddim! Beth am fy nillad i – be 'sa pawb ohonan ni'n syrthio i fewn? Pwy . . .

Llamodd.

– Tynna dy ddillad! Tyd i mewn efo ni!

Arhosodd, gan anadlu'n ddwfn. Clywodd Hannah'n dweud:

– Dyna ni wedi cyrraedd pen hynna, dwi'n credu. Mi ro i f'ymateb i i chi rŵan, os leciwch chi.

– Fel y gwela i hi, meddai Hannah, a gadewch i mi wybod os ydych chi'n anghytuno, roedd ganddoch chi ddau ymateb yn y sefyllfa ar lan y mor. Ar un lefel, mi oeddech chi wedi gwylltio, yn flin wrth y genod am wlychu eu dillad a chreu anhwylustod. Roedd eich cerydd gan Maia'n rhan o hyn. Ar lefel arall, roedd 'na eiddigedd ynddoch chi. Mi deimlais ryw ryfeddod at benrhyddid y plant, eu gallu i gael hwyl – a hynny hefyd drwy eich herio chi.

– Ia.

– Mi leciwn i chi feddwl – dim dweud rŵan – fedrwch chi gofio mwynhau eich hun fel hyn, pan oeddech chi'n blentyn? Gwaith cartref. Yn lle, pa bryd, sut oedd o'n teimlo.

– Mi wna i 'ngora.

Roedd hi'n teimlo fel plentyn oedd yn disgwyl cael pryd o dafod gan athrawes a chanfod fod sylw honno wedi ei hoelio ar rywbeth hollol wahanol – fel ei chariad neu ei gwyliau – a berodd i'w dicter doddi. Fyddai o'n crisialu yn ei ôl yn ei llygaid yn nes ymlaen?

– Dim ond pum munud sy ganddon ni ar ôl. Oes 'na rywbeth ydach chi angen ei ddweud cyn i ni orffen?

Meddyliodd am ennyd.

– Na. Na, dwi ddim yn meddwl.

– Wel, mae yna un peth yr hoffwn i ddweud. Mi ddaethoch yma'n llawn o'ch trafferthion efo Maia, eich merch. Ac mi fedra i ddeall hynny. Mi socnioch, wrth basio, fod eich mab, Deio, wedi bod mewn helynt yn yr ysgol a bod y brifathrawes wedi'ch galw i fewn i drafod y mater. Buasai llawer un sy'n dod i fy ngweld, a rheini'n famau, wedi gwneud yn fawr o hyn. Eto, doeddech chi ddim i'ch gweld wedi styrbio. Ac ella mai chi sy'n iawn, i beidio cymryd fawr o sylw o'r peth. Ond mae yna ryw – anghydbwysedd – yn fy nharo i.

– O! O, Arun! Y ffrae! Sut fedrwn i anghofio?

*   *   *

Doedd yna ddim amser. Roedd yr amser ar ben, fel 'na; gwên ar wyneb Hannah, ond mi oedd hi'n hollol bendant. Dywedodd y câi hyn fod yn fan cychwyn iddynt yr wythnos ganlynol. Cododd o'i chadair i ffarwelio ag Ilid. Roedd hi bron cyn daled ag Ilid ei hun, yn smart yn ei throwsus golau a'i sandalau lledr, drud yr olwg. Roedd ei gwallt wedi ei godi a'i ddal yn ei le gan sleid arian a phatrwm Celtaidd arno. Faint oedd ei hoed, tybed? Roedd hi'n anodd dweud efo gwallt golau, nad oedd yn dangos blew gwyn. Ei phumdegau cynnar, fyddai amcan Ilid. A oedd ganddi blant ei hun? Fentrai hi ofyn hynny iddi, ynte oedd bywyd personol therapist yn waharddedig, yn *no go area*?

– Efo siec fyddwch chi'n talu?

– O! Ro'n i wedi anghofio. Mae'n ddrwg gin i. Ia, siec. Deg punt ar hugain ddywedoch chi, 'tê?

Roedd y car ym mhen draw'r stryd. Wrth gerdded tuag ato teimlai fod rhywbeth wedi newid. Roedd fel petai wedi torri drwy far o fetel, y tu allan yn llwyd a diolwg ond y tu mewn yn loyw-ddisglair.

Yn Deptford disgwyliai merch mewn cot ffwr – ie, cot ffwr! – am fŷs, a phan ddaeth – rhif 36 oedd o – camodd yn osgeiddig ar ei fwrdd.

Ymhell yn ôl rhedai merch fach ar doeau'r cytiau moch. Naid! Sbonc! Sbort! Yn ôl i fyny â hi. Cyrcydodd ar y llechi cynnes, a gwnaeth y bychan yr un fath. Deio. Naci, Tudur.

Roedd y traffig yn drwm ar yr Old Kent Road, un ochor i'r lôn wedi cau, dim byd i'w weld yn symud yn nes ymlaen. Reit, chwip sydyn i'r dde, anelu am Bont Blackfriars ar hyd y lonydd cefn. Faint o amser oedd ganddi tan cyrhaeddai'r trên? 11.32 rŵan, felly – 12.12, hanner awr, dim problem.

Pen-blwydd Hapus i Te-di, pen-blwydd ha-pus i ti. Y hi'n torri cacen Tedi. Un gron efo eisin pinc yn donnau caled arni ac un geiriosen yn y canol. Shwrwd melys pinc a melyn. Bwyta cyfrinach, a blas hyfryd arno, ond mi ffeindiodd Mam y bocs.

Troi i'r chwith a phasio'r eglwys euraid, Eidalaidd ei harddull – wedi ei glanhau, mae'n rhaid. Sgwâr tawel. Lle neis i fyw, a hynny dim ond tafliad carreg o lonydd prysuraf a butraf y brifddinas. Dyma ddod allan ar un ohonynt rŵan. 11.40. Cefnau noethgoch digywilydd gweithiwrs mewn twll. Roedd rhywbeth wedi ei brifo hi. Be oedd o? Ymbalfalodd drwy ei meddyliau i drio teimlo beth oedd wedi achosi'r clais. Y trên, y traffig, na . . . Hannah, na – er bod hynny'n syndod.

Rhywbeth oer oedd o, â siâp petryal. Glas ac arian fel llyn rhewllyd – sut y gwyddai hi hynny? Achos mai ar ei phen-ôl hi roedd o'n disgyn. Stamp. Stamp. 'Cymer di hynna! Os wyt ti'n meddwl fod hynna'n brifo!'

Golau gwyrdd. Dros y bont. 11.45. Ia, mi oedd hi'n cofio sbio arno fo wedyn yn gorwedd ar yr ornament gwydr yn y llofft sbâr. Yntau mor dlws, a hithau wedi ei ffansïo sawl gwaith. Ar Mam roedd y bai am ei ddifetha.

Cynhyrfodd drwyddi. Roedd yn rhaid iddi ddweud wrth Hannah!

Trên yn pasio. Prin y medrai hi dagu'r marc ebychiad. 'Trên!' roedd hi wedi ei weiddi i dynnu sylw Maia ac wedyn Deio, sawl gwaith am sawl blwyddyn. Rŵan mi oedd Maia'n wfftio arni. 'Ie, Mam, *so*? *Trên* ydi o 'sti. Dim sebra! Dim llong ofod!' Mi oedd Deio'n dal i sbio, o leiaf, ond ddim efo'r un rhyfeddod. Roedd hi wedi ei chyflyru i ymateb mewn modd anaddas, y fam fodel i blant bach, hynod o effeithiol tra bod ei hangen, ond diar mi yn rhy drwm – yn llythrennol – i'r oes ysgafnach hon, ei lliwiau'n rhy lachar, ei synau wedi colli eu swyn.

Farringdon Road, a allai fod yn hunllef, yn symud yn dda. Tŷ tafarn Smithfield, a'r farchnad ei hun yn llechu tu ôl iddo. Fu hi 'rioed yno. Faint o flynyddoedd oedd ers i'w thad ddod yn unswydd i fynd i fan'no, dod efo ffarmwrs eraill, yn ciledrych ar Lundain dros eu hysgwyddau, yn slotian ym mar y Regent's Palace, arch o Gymreictod ar fôr diarth hudolus Soho? 'O bach' i ystlys gynnes, gyfarwydd yn y farchnad yn y bore, wedi medru maddau i bob temtasiwn.

Hen MG bach lliw melyn-mwstard yn gwibio heibio ar yr ochor fewnol. Roedd rhaid i rai gael dangos eu hunain – un o ddynion ifanc y City mewn crys gwyn oedd yn dallu a thei bowld, yn refio trwy ei awr ginio, siŵr o fod. Awr ginio gynnar. 12.01. Dim ond Euston Road ar ôl, ond mi oedd arni eisiau parcio, ac ar adeg fel hyn o'r dydd doedd dim ond y maes parcio tanddaearol drud, anghyfleus, amdani. Doedd ganddyn nhw ddim syniad am bethau felly. Gyda'r nos neu ar benwythnos mi oedd hi mor hawdd, digon o le yn y stryd.

Ar Euston Road, mi basiodd hi'r MG. Merch oedd wrth y llyw, gwallt hir a sgarff yn ei glymu yn ei ôl. Iesgob, beth oedd wrth ei hochor hi? Cari-cot! Doedd bosib. Doedd fawr neb yn defnyddio cari-cot y dyddiau yma, cadair car oedd gan bawb . . . bu raid iddi droi am y maes parcio, a'i phen wedi troi i'r cyfeiriad arall o hyd fel dol a'i phen wedi mynd yn sownd. Oedd hi wedi camgymryd? Efallai mai basged cath oedd yna; na, wir, mi oedd ganddi bâr o lygaid reit graff. Wel, ella mai rhywbeth i gadw ei thrugareddau ynddo oedd y cari-cot, math o fag ffansi, anghyffredin. Doedd hi ddim am i'r ddynes yma fod yn fam, 'ta? Am ei bod hi'n dreifio MG a hynny mewn ffordd tra herfeiddiol? Ynte lecio'r syniad oedd hi, a dim ond trio cadarnhau'r ffaith mai dyna yr oedd hi wedi ei weld? Mam mewn MG.

Euston. Ei blât mawr disglair yn weddol wag, yn disgwyl i ffrwd o deithwyr gael ei gollwng arno. Roedd y lle'n perthyn iddi. Dau ben llinyn ei bywyd, Euston a Bangor.

12.10. Mi ddylai fod ganddi ddigon o amser i fynd i lawr at y platfform. Rŵan, lle roedd y trên wedi dŵad i fewn?

Deuddeg mlynedd yn ôl. Teithiau o syllu drwy'r ffenest, o sylwi'n fanwl ar liwiau'r caeau, o ryfeddu at bethau cyffredin a hardd fel pridd wedi ei aredig, o ymhyfrydu mewn bwaon tewbiws bwdlia ar gyrion stesion. Roedd hynna wedi mynd, ei gallu i ymgolli mewn gwlad. Yn ei le fe welai arwyddbyst. Rugby ELECTRIC. Y ffatri HEINZ. Chester Raceground. Y ffordd adre. Y ffordd yn ôl adre.

– Mynd i rwla yn y gwylia?
– Dim ond adra am 'chydig o ddyddia.
– Pryd wyt ti'n mynd yn ôl?
– Am faint dach chi'n aros tro yma?
– Dwi'm 'di bod adra ers oesoedd.

Edrychodd ar yr arwyddbost anferth. *Arrivals*. Holyhead, platfform tri ar ddeg, reit yn yr ochor bellaf.

Hen deimlad od oedd bod heb fynd adref ers oesoedd. Mi fyddai popeth yn mynd fel lladd nadredd, gwaith yn brysur, allan pob noson, a mwya sydyn mi gaech gam gwag. Pwl bach tawel. Awydd mynd am dro i lawr at yr afon, gyda'r nos, cyn iddi dywyllu. Ffansi panad yn y gegin efo Mam a Dad, a Dad yn taro'i gap am ei ben ac yn mynd allan i fwydo'r gwartheg. Gerallt yn galw heibio am sgwrs.

Ac yn ddirybudd llanwyd ei cheg â blas hiraeth Arun, yr hen beth anghyfleus hwnnw oedd wedi costio mor ddrud iddynt. Roedd o'n felys fel mango ac yn sur fel eirin tagu yn sychu corneli ei cheg.

Dau siâp cyfarwydd ym mhen draw'r stesion. Un yn fychan, yn wyrgam, yn wyliadwrus ei hedrychiad, hyd yn oed o bell; y llall yn dalach a'i ysgwyddau'n sgwâr, ei safiad yn hamddenol ynghanol y dorf a wthiai heibio.

– O Iesgob, ma'n ddrwg gin i, ydach chi yna ers meitin?

– Na'dan wir, rhyw 'chydig o funuda . . .

– Ond d'odd y trên ddim yn fuan chwaith, Ilid; oeddan ni'n methu dallt, a chditha mor dda fel arfar. Ond dyna fo, hitia befo, rwyt ti yma rŵan. Lle ma' Deio gin ti?

– Mae o 'di dechra 'rysgol ers Pasg, Mam – doeddach chi ddim yn cofio?

– Wel, nag o'n, am funud. A finna wedi cadw jou iddo fo. Mi ceith nhw heno.

– Pryd yn union oedd y trên yn cyrraedd? gofynnodd Ilid i'w thad wrth iddynt lusgo'r cesys i lawr y grisiau tuag at y maes parcio.

– Dau funud wedi hanner dydd. Fuon ni'n bustachu efo'r troli am dipyn, 'sti. Methu'n glir â chael y pres i fewn. Mi ddoth rhyw bortar o rwla yn y diwadd i ddangos i ni.

O'r diwedd roeddynt hwy a'u bagiau wedi eu gosod yn y car, Dad yn y ffrynt efo Ilid a Mam yn y cefn, fel arfer. Suai'r car i lawr High Holborn (rhyfeddol o rwydd, yr adeg yma o'r dydd) a theimlodd Ilid ias o ddedwyddwch. Roedd hi wedi bod yma o'r blaen, laweroedd o weithiau, efo'i thad a'i mam a'i brodyr, ar eu ffordd adre o sioeau, cartrefi perthnasau, ambell eisteddfod, pawb yn eu lle fel llestri ar ddresel. Ond y hi oedd yn gyrru rŵan. Hi oedd yn mynd â nhw adre.

6

Roedd y cantîn yn llawn. Ond doedd yno ddim mwg. Cafodd Arun bwl o hiraeth am gantîn ei ysbyty gyntaf yn Glasgow, yn fyglyd gynnes. Fan'no y dechreuodd yntau smocio. Glasgow oedd prifddinas ysmygu. Dyna'r lle i wneud gwaith ymchwil ar ysmygwyr a'r effaith a gâi ysmygu ar afiechydon eraill. Medrai ddod o hyd i beth wmbredd o ddoctoriaid a nyrsys oedd yn smocio, cyfran llawer uwch, roedd yn siŵr, nag mewn ysbytai tebyg mewn trefi eraill. Os nad oeddynt, fel fo, wedi callio.

– Ti'n bell i ffwrdd. Chest ti'm cwsg neithiwr?

– Y!

– Na, meddai Shama, gan osod ei bag llaw anferth ar y bwrdd. Llifodd ffrwd o sidan gwyrdd-leim at y llawr; sgarff wedi ei chlymu wrth y strap (un ddrwg am golli pethau oedd hi). – Breuddwydio wyt ti, 'tê?

– Meddwl o'n i mor braf fasa uffar o gwmwl o fwg yn y lle 'ma, imi ga'l 'i anadlu o heb orfod prynu ffags fy hun.

Chwarddodd Shama.

Tyd efo fi 'ta. Mi wn i am le bach saff. 'Na i 'neud y weithred ddrwg, a gei di lenwi dy ffroena.

Cynnig clên. Dwi'n teimlo'n well yn barod.

Wir, mi oedd arogl nodweddiadol Shama o fwg a phersawr yn cosi rhyw flew bach sensitif yn ei gof. Roedd o wedi bod yn ymwybodol o'i habsenoldeb.

– Wyt ti 'di bod i ffwrdd?

Tywalltodd Shama gynnwys pecyn o siwgr yn bistyll gwyn i'w choffi. Roedd hi'n ferw o arferion drwg.

– Wedi bod yn y famwlad ei hun.

– Pacistan, dwi'n cymryd?

– Wel, dim Thornton Heath!

– Ond ro'n i yn meddwl . . .

– mai yma ces i'n magu? Ia. 'Nesh i gamgymryd efo chdi, do?

Y tro cyntaf iddo gyfarfod Shama, yn un o bartïon Sarwal, roedd hi wedi meddwi'n rhacs. 'Paid â siarad lol, efo dy India,' meddai wrtho fo, 'dwi'n nabod acen Glasgow 'sti.' Pan lwyddodd o i'w hargyhoeddi, roedd hi wedi dotio. 'Y *real thing*! Yn siarad Hindi, wedi tyfu i fyny yn India.' Roedd o â'i gefn yn erbyn y pared yn y pasej, a hithau'n syllu arno, ac un fraich ar y wal. Pwysodd hi yn ei blaen, pwysodd yntau yn ôl. Aeth y golau i ffwrdd. Roedd o wedi diffodd y swits. Yn y tywyllwch swnllyd fferodd llaw Shama ar ei foch. Disgwyliodd ei wefusau – bron nad oedd o'n powtio – ond yn lle cusan, daeth bloedd o'r gegin a diflannodd hithau.

– Deud yr hanes.

Cododd Shama ei hysgwyddau.

– Does 'na'm hanes. Karachi. Un o'r maestrefi. Wrth ymyl sgwâr marchnad – o'n i'n lecio hynny. Mi fedrwn i bicio allan i brynu ffrwyth ne ddiod ne ddilledyn o fore gwyn tan nos. Wyddost ti be syfrdanodd fi, Arun? O'n i'n teimlo mor gartrefol yno. Llawn mor gartrefol ag yn Marks & Spencer ne John Lewis. O do, mi ges i sylw, paid â meddwl am funud nad oedd pawb yn gwbod pwy o'n i . . .

– Dwi'n gwbod! Dwi'n byw yno, os wyt ti'n cofio.

– India. A dwyt ti ddim, chwaith.

Tynnodd Arun ei wynt i mewn.

– Wnes i'm meddwl y basat ti, o bawb, yn codi hiraeth arna i am fynd adre.

Cododd Shama ei haeliau.

– O bawb!

Rhoddodd ei mŵg i lawr.

– Yli, mae'n rhaid i mi fynd. Clinig 'mhen pum munud. Mi wela i chdi.

Wrth fynd, gan gau botymau ei chot wen, meddyliodd tybed a oedd hi wedi gwneud y peth iawn yn cadw'i sylw iddi hi ei hun, sef bod gadael Pacistan wedi ei hatgoffa o adael cartref cariad a'r gwely'n dal yn gynnes. O, roedd hi wedi mynd yn ddigon pell efo'r smocio. Pan glywodd hi ei fod o'n arfer bod yn smociwr teimlai'n falch. Doedd ei hunan-reolaeth ddim mor berffaith er gwaetha'r wyneb llyfn yna. A waeth be ddywedai neb, pobol oedd yn lecio cael tipyn o sbort oedd yn smocio. Ac mi daerai hi mai am dyna yr oedd o'n hiraethu.

*   *   *

Roedd Ilid yn difaru iddi ddod. Syllodd ar y goeden o'i blaen, efo'i thwr o flodau bach gwynbinc. 'Japonica', meddai'r label, gan fynd ymlaen i fanylu ar sut fath o dir a hoffai, pryd y blodeuai, pa mor dal a dyfai. O'i chwmpas roedd yna doreth o blanhigion, yn goed bach, yn llwyni, yn flodau mewn potiau pridd a photiau plastig, yn rhesi mewn *trays*, pob un efo'i label yn disgrifio'i anghenion a'i arferion.

– Deio, tyd i lawr o ben fan'na, 'ngwas i.

– Mi fydd o'n iawn, Mam.

– Ond ella na fydd y bobol 'ma ddim yn lecio plant yn dringo . . .

Na fyddan, m'wn. Ac mi wyddai hithau hynny cystal â neb. Tasai hi'n athrawes, mynnai na châi neb chwarae ar y llethr serth uwchben y blodau. Ond rhywsut roedd hi'n wahanol efo'i mab ei hun.

– Lle aeth dy dad, dywad?

Pam felly? Wel, am ei bod hi'n gwybod am natur benderfynol Deio yn un peth. Byddai'n siŵr o dreulio'r holl amser yn gwylio am gyfle i ddringo'r llethr, waeth be ddywedai neb wrtho. Ac yn lle diawlio ei ystyfnigrwydd, fel y gwnâi unrhyw athrawes gall, ymfalchïai ynddo fel mam. Dyna yr oedd hi wedi ei wneud erioed efo'r ddau ohonynt, eu cymell i archwilio, i ddarganfod drostynt eu hunain. Ac wedyn roedd hi'n anodd . . .

– Wyt ti'n meddwl 'r aeth o at y coed ffrwytha 'cw yn y pen draw?

– Mm – do, dacw fo, ylwch.

Roedd o'n craffu ar ddail un o'r coed bonsai. Cychwynnodd Grace tuag ato. Anodd. Ailadroddodd ei chof y gair, i roi cyfle i dâp ei meddyliau gael ail-gychwyn. Be oedd yn anodd, yn union? O, gorfod dweud wrthynt mai fel hyn oedd pethau i fod. Dim rhedeg i lawr y trên reit i'r pen draw. Dim tynnu amdanynt yn nhai plant eraill a disgwyl cael mynd adref yn eu dillad nhw. Dim dringo llethrau.

Serennai'r haul ar ei boch dde, yn anwes glòs, annymunol. Mi ddylai hithau fod yn sbio o ddifri ar rai o'r planhigion yma; roedd yna le gwag yn y border wrth ymyl y drysau Ffrengig. Banadl, tybed? Dyna be oedd

Arun wedi ei ffansïo yn wreiddiol. Mi fedrai brynu un a'i phlannu, fel syrpreis. Presant pen-blwydd hwyr. Dyna'r math o beth y carai ei wneud. Ar un adeg.

Clywodd lais Maia, yn chwarae ymysg yr anifeiliaid cerrig tu ôl i'r gwrych.

– Gei di fod yn gath fach i mi, reit? Hanna ydi dy enw di. A' i i nôl bwyd i ti, gweitia am funud.

– Paid â thynnu dail oddi ar y planhigion, Maia!

Daeth pen Maia i'r golwg o'r tu ôl i'r gwrych.

– 'Na i ddim! 'Di cathod ddim yn byta dail, Mam! Paid â bod yn wirion.

– Sori, meddai Ilid yn wylaidd.

Daeth ei thad ar hyd y llwybr i'w chyfarfod.

– Rhododendrons bendigedig yn y cefn 'cw, Ilid. Werth eu gweld. Bob lliwia, coch, pinc, piws.

– Oes, yn toes?

– Biti ofnadwy 'u bod nhw'n bla.

– Yn bla?

– Wyddat ti ddim? Rhododendrons yn tyfu'n wyllt yn y Parc Cenedlaethol yn Eryri, yn tagu bob dim arall. Tebyg iawn i redyn.

Roedd Ilid wedi ei siomi yn y rhododendrons. Roedd yna lwyni mawr o rai piws, henffasiwn yn tyfu wrth lan afon Dwyfach ger ei chartre. Byddai'n rhyfeddu atynt, at y lliw porffor hardd, eithafol. A rŵan dyma nhw'n mynd dros ben llestri – wel dyna'r union beth yr oeddynt wedi ei wneud yn barod, yn amlwg, wedi dianc o ardd Plas Talhenbont a mynd i lawr at yr afon. Nid oeddynt yn blanhigion cynhenid. Cofiodd rywbeth arall.

– Dad? O'n i'n meddwl fod yn rhaid i rododendrons gael tir arbennig, efo leim ynddo, i fedru byw. Dwi'n siŵr mai dim ond mewn pot y medrish i gadw un yn fyw.

– Mi synnat, oedd ateb ei thad. – 'Dydi'r hen fyd 'ma'n llawn o betha sy wedi crwydro.

– Fel y wiwer lwyd.

– Ia, honno hefyd.

Cyrhaeddodd Grace o rywle a sefyll wrth eu hochrau. Byseddodd ddail bach sgleiniog y japonica.

– Mi o'dd 'na lwyn mawr o hwn yn tyfu yng ngardd Nain.

– Nain Pen y Bont?

– Naci, siŵr, Catherine Davies, Y Wern. Mam Mam. Nabodaist di moni.

– O! Dach chi ddim yn sôn fawr amdani hi.

– Dwi ddim yn hitio fawr amdano fo, chwaith. Hen beth digon diolwg.

Synnwyd Ilid gan ei chwerthiniad hi ei hun. Ychydig iawn o sentimentalwch oedd yn ei mam, meddyliodd.

– Well inni ei throi hi am adre, mi fydd y plant wedi syrffedu.

– D'ei di 'rioed o'ma efo cyn lleied, Ilid, a ninna wedi bod yma'r holl amser? Mi brynith Dad a finna hwn i chdi, mi wneith yn champion i'r patsh gwag sy gin ti yn dy forder.

Gafaelodd mewn banadl coch, ei archwilio'n fanwl i wneud yn siŵr fod yna ddigon o bennau blodau arno, a'i sodro yn y troli efo'r lobelia.

* * *

Ar hyd cloddiau meddwl Ilid crwydrai'r ladi wen, yn dangos ei hutgorn hardd, tynerwch ffrilan o gnodwe. Rhy hardd o lawer i fod yn chwyn. A dim *gatecrasher* yn y parti gardd oedd hi chwaith; derbyniodd wahoddiad gan arddwyr blaenllaw oes Fictoria. Ymhen canrif ar ôl iddi gael ei lansio yng ngerddi mawr y dinasoedd, roedd y ladi wen yn lledu ei sidan ar dameidiau o dir yng nghefn gwlad Cymru.

Pethau sy'n crwydro. Tatws. Sbeis. Twrci. Heb datws, heb sglodion, heb greision, heb Hula Hoops. Heb sbeis, heb gyrri, heb flas. Heb dwrci, heb Ddolig. Ceiliog mawr yn rhedeg yn wyllt ar ehangder gwastadeddau America, cyn dod i glwydo yn ein poptai Nadolig ni.

Pethau byw sy'n crwydro. Ilid. Arun.

*   *   *

Ar y ffordd adre, hanner ffordd i lawr gallt serth yn Crystal Palace, aethant heibio i ddynes ifanc yn disgwyl wrth yr arosfa bws. Ei gwallt coch golau dynnodd sylw Ilid, yr un lliw â gwallt y ferch fach a safai wrth ei hymyl. Yn sydyn, plygodd y fam a chodi'r hogan fach i'r awyr. Daliodd hi o flaen ei llygaid ei hun. Y ddwy'n sbio i lygaid ei gilydd ac yn chwerthin. Arhosodd y llun ohonynt yn fyw ym meddwl Ilid.

*   *   *

Arun oedd ar y 'rownd'. Daeth Dipesh heibio i gael gair cyn iddo adael.

– Ma'r hen wreigan yn y gwely pen yn sâl isio mynd adra. Mrs Tubb. Paid â gadal iddi fynd. *Angina* drwg, neb i edrach ar 'i hôl hi. Fydd hi yn ei hôl cyn pen dim.

– Fydd 'na rywun i edrach ar ei hôl hi wythnos nesa?

– Mi dria i gysylltu.

– Â'r teulu?

– Â'r awdurdodau.

– A fydd Pryce ddim o gwmpas tan fory. Hwyl!

Ond nid oedd Mrs Tubb yn fodlon.

– Pan o'n i fel hyn o'r blaen, yn cael y stwff brown 'na, ges i fynd adra ar fy union gin Mr Pryce.

– Do, falla, ond y tro yma rydan ni eisiau bod yn hollol saff eich bod wedi sadio, rhag ichi orfod dod yn ôl i fewn.

– Ond fo ydi'r consultant, 'tê.

Edrychodd yn herfeiddiol arno, fel jac-do piwis mewn nyth o ffrils pinc.

– Fydd fy mhlants i i gyd wedi marw.

– Plant wedi marw?

– *Busy Lizzies*. Dwsin ohonyn nhw. Neb i'w dyfrio nhw, a'r hen dywydd 'ma 'di cnesu o'r diwadd.

Gwelodd ei gyfle.

– Dyna'n union be 'dan ni'n drio 'i 'neud drostoch chi cyn i chi fynd adra, Mrs Tubb. Gwneud yn siŵr fod yna rywun arall fedar ddyfrio eich blodau drostoch chi, petai angen. A gofalu tipyn bach amdanoch chitha 'run pryd.

– Well gin i ddyfrio 'mloda fy hun.

Roedd ganddo awydd dweud wrthi am neidio allan o'i choban yn syth a hel ei phac, yn tynnu arno fel hyn heb ystyried ei fod yn trio trefnu pethau er ei les. Yr un cymhelliad diamynedd a oedd wedi hel Maia i'w llofft, a pheri iddo weiddi ar Deio a gyrru hwnnw allan i sefyll wrth y drws. Erstalwm byddai wedi ymresymu'n ddifrifol efo'r hen wreigan; byddai wedi ysgwyd ei ben, ochneidio, gwenu. Rŵan doedd ganddo ddim 'mynedd. A beth oedd wedi ei dreulio fel hyn, a gwneud tyllau mawr yn ei fod, fel hen garped? Gwaith? Priodas? Plant? Y tri efo'i gilydd?

Sylweddolodd ei fod wedi cerdded yn ei flaen heb ffarwelio â'r hen wraig. Cipedrychodd dros ei ysgwydd. Roedd ei phen wedi suddo ar ei brest, yn bictiwr o ddigalondid.

Laurence Steele oedd y claf nesaf. Mi ddylai fod wedi dod ato'i hun ar ôl llawdriniaeth *angioplasty* y bore 'ma. Cododd ei ben o'r *Telegraph* wrth i Arun nesáu at erchwyn y gwely.

– Sut dach chi'n teimlo erbyn hyn?

– Rhagorol, Dr Kataria. Edrych ymlaen at gêm o sboncen.

Synnai Arun ddim. Dyn tal, glandeg, yr union fath o foi fuasai'n treulio ei awr ginio ar y cwrt sboncen.

– Dyna chi. Mae'n bwysig iawn cadw'ch hun –

– yn ffit. Wn i. Dw i wedi bod yn darllen y petha.

Llyncodd Arun y sylw brathog.

– Hitiwch befo. Dwi'n falch eich bod yn teimlo cystal. Mi gewch fynd adre ar ddiwedd y pnawn. Oes gynnoch chi rywun fedar eich nôl?

– Mm, oes. Tua pump, ie?

– Os leciwch chi.

– Tua pump fyddai ora.

Gadawodd Arun ef a golwg reit boenus ar ei wyneb. Beth oedd yn ei gnoi, tybed? Pwy oedd yn rhy brysur i ddod i'w nôl? Clywodd nodau uchel mobeil ffôn, a throdd ar ei sawdl.

– Dim yn fa'ma!

Rhythodd Steele arno'n syn.

– Maen nhw'n amharu ar beiriannau'r ysbyty! Welsoch chi mo'r arwyddion? Maen nhw'n bob man yn y lle 'ma.

Llyncwyd y ffôn gan lawes neu boced, ac edrychai Laurence Steele yntau fel petai wedi llyncu mul, yn swatio yn ei wely.

Oedd o'n gasach efo'r cleifion heddiw?

Meddyliodd am Deio'n brathu'r bachgen arall ar yr iard. Llond ceg o gnawd. Tybed sut oedd o'n teimlo ar ôl gwneud? Yn edifar? Yn fwy ynddo'i hun? Doedd ganddo ddim cof ohono'i hun yn gwneud dim byd tebyg. Ymladd, wrth gwrs, yn yr ysgol, fel un o giang fel arfer, a chael sbort wrth wneud, ond dim ymosod ar blant eraill fel hyn. Na, mi oedd yna rywbeth o'i le yn fanna. Rhywbeth wedi plygu allan o'i siâp, anghydbwysedd. Achos mi wyddai fod Ilid hefyd yn iawn a bod Deio yn blentyn hoffus ac annwyl.

*   *   *

– Dyma be sy'n 'nharo i, yr oedd Hannah wedi ei ddweud – ydi'r Ilid wyllt yna'n cael cyfle i ddangos ei hun? Ynte cynddeiriogi y mae hi, heb le i redeg na neidio yn y môr?

Dyna oedd y cwestiwn ar flaen meddwl Ilid wrth iddi syllu ar bentyrrau o ffa, bresych, sbinais, brocoli a phys, a thrio dod o hyd i lysieuyn neu ddau a fwyteid gan ei phlant a'i rhieni. Roedd Maia a Deio yn hoff iawn o frocoli, 'coed bach'. Ond welodd hi 'rioed mohono ar fwrdd Bryn Hudol. Pys, 'tê? Mi fwytâi ei thad bys, ac roeddynt yn iawn gan ei mam hefyd – ac Arun, petai hwnnw'n dod i'r golwg. Ond roedd gas gan Deio nhw. Ac er fod ei mam a hithau'n eitha lecio bresych, doedd gan ei thad a Maia ddim i'w ddweud wrthynt. O, doedd dim amdani ond cael ychydig o bopeth, a llond y lle o foron a thatws.

Oedd Ilid yn nabod y greadures fach wyllt yr oedd Hannah wedi ei darganfod? Synfyfyriodd wrth stwffio moron i fag plastig. Ynte rhywbeth gwneud oedd hi? Mi oedd hi wedi mwynhau'r profiad – wel, y ffug brofiad – o stwna yn y dŵr. Heblaw am ddim byd arall, roedd hi'n braf cael bod efo genod eraill, a neidio i mewn i'r don. Hm. Ceisiodd droi ei phen i gael golwg ar wyneb y ferch agosaf ati, honno a afaelai yn ei llaw. Roedd hi'n siŵr mai Sera oedd hi.

Pryd welodd hi Sera ddiwethaf? Yn y Llew Aur rhyw gyda'r nos rhwng y Dolig a'r flwyddyn newydd, a Dafydd efo nhw hefyd. Roedd tipyn ers hynny.

Wnâi'r tatws yma mo'r tro. Byddai Dad yn wallgo petai'n gwybod ei bod hi'n prynu tatws newydd o'r Aifft, a ffarmwrs y wlad yma'n ei chael hi'n anodd cael dau ben llinyn ynghyd. Y rhai drud yma o Jersey, 'ta. Oedd Jersey'n cael ei gyfri fel rhan o Brydain ganddo? Rhy agos i Ffrainc. O, Iesu, mi gâi ddod â'i datws ei hun tro nesa.

*   *   *

Piciodd i fewn i Primark yn Catford tra oedd Nain yn gwarchod gan feddwl prynu pâr o shorts iddi hi ei hun, wedi i'r tywydd gynhesu mor sydyn. Disgwyliasai y byddai'r lle'n wag ar bnawn poeth fel hyn, ond dim o gwbl. Doedd gan lawer o drigolion Catford ddim byd gwell i'w wneud na siopa yn Primark, a chiwio am hydoedd wrth y ddau dîl oedd ar agor efo'u llond côl o ddillad babi (pâr ifanc o gefndir Tsieineaidd a babi ifanc iawn mewn coets ganddynt), tri chrys mewn gwyrdd leim, gwyn ac oren (dyn tuag ugain oed, Somali yn ôl ei

bryd a'i wedd). Clywodd y plentyn cyn ei weld:
cwynfanai'n ddi-stop, alarus. Deuai ambell air i wyneb
y lli hwn o ddiflastod; 'Mum', 'go', 'can'. Clywai Ilid
ddim gair o enau Mam. A phan ddaethant i'r golwg,
gwelodd mai crwydro rhwng y rhengoedd o sgerti a
chardigans a blowsys roedd hi, yn byseddu ambell
ddilledyn, yn crwydro a'i llygaid yn wag, a'r plentyn tu
ôl iddi, hogyn tua teirblwydd mewn crys ffwtbol budr,
yn cael ei anwybyddu'n llwyr. Roedd y peth yn
annioddefol. Dim un gair o'i phen. Dim 'Hang on a
minute, love', dim 'Shut your bloody mouth, will you!'
Dim edrychiad dros ei hysgwydd, dim cyffyrddiad, dim
affliw o ddim. Roedd ar Ilid eisiau mynd ati ac ymbil
arni i ddweud rhywbeth wrth ei hogyn bach. Ond
wnaeth hi ddim. Doedd ganddi ddim lle. Hi'n crwydro,
crwydro trwy'r goedwig o ddillad, yntau'n dilyn, dilyn.
Tarodd Ilid y shorts ar y rêl agosaf a rhedodd allan o'r
siop.

*   *   *

Marie Bernadette Mckinnley. Fawr o amheuaeth ynglŷn
â chefndir hon. Dyddiad geni: 6:11:42. Babi rhyfel,
felly – oni bai mai yn Iwerddon y ganwyd hi. Nid
oeddynt yn nodi man geni ar y ffurflenni yma. Stori fer
iawn oedd arnynt, efo ambell fwlch. O leiaf roedd o'n
meddu ar ddigon o wybodaeth rŵan i lenwi rhai o'r
bylchau. Ar y dechrau, yn fuan ar ôl iddo ddod yma,
drws caeedig oedd pob wyneb iddo. Ni fedrai ei agor;
doedd ganddo ddim syniad pa lwybrau oedd tu ôl iddo,
i ba fath o gartref yr arweinient, pwy a beth fyddai tu
fewn iddo. Adre, ar ei dir ei hun, mewn eiliad fe weai

hanes a chefndir i bob creadur. Roedd yntau'n rhan o'r un cynfas.

Roedd ei ffownten-pen wedi sychu wrth iddo synfyfyrio. Rhoes sgwd hegar iddi a glaniodd cawod o smotiau inc ar nodiadau Marie Mckinnley. Blêr. Blêr iawn, fyddai'r sylw ar ei waith ysgol yn aml. Roedd o wedi newid ers hynny: roedd yn gas ganddo flerwch o gwbwl rŵan – dyna pam, mae'n siŵr, fod cyflwr y tŷ, yn enwedig yr ystafell ffrynt anorffenedig, yn mynd o dan ei groen cymaint.

Thalai hyn ddim o gwbwl. Ciledrychodd ar y pentwr ffeiliau yn simsanu ar ochor chwith ei ddesg. Lle roedd Marie arni? Clefyd y galon. Symptomau cyntaf, '82, yn ddeugain, reit ifanc, pwysedd gwaed uchel, pwyso gormod – dwy stôn ar bymtheg (swydd – cogydd! – yn lle tybed? – caffi seimllyd peth tebyca). Erbyn '93 wedi datblygu'n glefyd y galon 'dau-v', argymell *bypass*, disgwyl iddi hi golli pwysau, hynny'n araf – yn araf iawn. Trawiad yn '97; ond dim un difrifol, *angioplasty* yn syth wedyn. Yn ôl y nodiadau hyn, mi oedd y driniaeth yn llwyddiannus. Be oedd o'i le arni rŵan?

Ond mi wyddai, wrth gwrs, fod llawer iawn o gleifion yn dioddef o iselder fisoedd ar ôl cael llawdriniaeth. Roedd y byd meddygol wedi gweithredu ar eu rhan hwy. Roedd ganddynt gorff newydd, fel babi dol Maia yn dod yn ôl o ysbyty'r doliau efo pen newydd (ar ôl i Deio dynnu'r un gwreiddiol i ffwrdd, y cythrel bach). Ond doedden nhw ddim yn barod am y cyrff newydd hyn, dim mwy nag oedd Maia yn barod am wyneb a gwallt newydd Jessica Angharad – 'Dim y hi ydi hi!' Ddim yn barod am y cyrff yma yr oedd angen eu hymarfer a'u bwydo'n gywir. Fel llawer i riant efo plentyn.

Fory, yn y clinig, mi welai Marie Mckinnley. Beth oedd ganddo i'w gynnig iddi? Daliwch ati i ysmygu fel hyn, ac yn ôl fyddwch chi am fwy o lawdriniaeth.

Rydw i wedi rhoi'r gora i ysmygu. Ac uffernol o anodd oedd hi hefyd.

Dwi'n dal i gael smôc yn awr ac yn y man. Ond does neb i fod i wybod.

Mudlosgi mae'n sigarét i.

* * *

– Wel, mae 'na un bach 'di gwisgo amdano, beth bynnag.

– Dwi 'di gwisgo amdanaf ers oria, Nain. Wedi bod yn chwara yn yr ardd.

– Wel wir, ti'n gneud i mi deimlo'n hen.

– Ti *yn* hen, Nain.

Ar ei ffordd i lawr y grisiau efo llond ei breichiau o ddillad budron, chwarddodd Ilid wrthi ei hun.

– Be 'di hwnna, Nain?

– Staes. Dwyt ti ddim wedi gweld staes o'r blaen, naddo?

– Naddo. Fyddi di ddim yn gwisgo bra, Nain? Ma' Mam yn gwisgo bra. Fydda i'n helpu i' gau o weithia, achos ma'r bacha yn y cefn, ti'n gweld.

– Handi iawn, yntê. Lle mae dy chwaer bore 'ma?

– Lawr grisia. Chdi bia'r ces 'ma, Nain?

– Taid a fi, 'ntê. O watsia di, Deio, hwnna 'di'r ces 'dan ni am adael efo Anti Olwen. Paid ti â mynd i'r afael â'r petha 'na sy yno fo, bendith i ti, a finna 'di smwddio nhw i gyd. D'wn i'm i be chwaith. Pwy wisgith nhw, rhyw hen ddillad fel'na?

94

– 'Sa Maia a fi'n lecio rhein, meddai Deio, gan dynnu ffrog goch efo sgert lawn, gwasgod a siôl allan o'r ces. – Pan 'dan ni'n gneud dawns. O's 'na sgidia i fynd efo nhw, Nain?

– O iesgob annwyl, paid â thynnu dim mwy allan, chaeith yr hen ges 'na byth yn 'i ôl.

– Dwi'n mynd i ddeud wrth Maia.

A rhuthrodd allan o'r ystafell wely ac i lawr y grisiau. Stryffagliodd ei nain i gael ei ffrog dros ei phen. Doedd waeth iddi roi ffrog ddim gan fod y tywydd wedi troi'n hafaidd o'r diwedd. Roedd hon yn un ysgafn braf – hen le poeth oedd y Llundain 'ma yn yr haf. Dim awel – doedd Bryn Hudol byth nad oedd yno awel. O daria, roedd hi wedi anghofio mai yn y cefn roedd y botymau ar hon. Biti fod Deio wedi mynd, mi oedd arni angen ei sgiliau efo'r botymau. Cau'r bachau ar fra Ilid, ia? Wel wir, roedd y ddau yna'n glòs. Fel Tudur a hithau. Roedd hi'n job ofnadwy cadw hwnnw allan o'r stafell molchi pan fyddai hi'n cael bàth. O, a dweud y gwir doedd dim mymryn o ots ganddi hi os oedd o'n mynnu dod i fewn efo hi a phratian yn braf tra oedd hi'n golchi ei gwallt, neu ei ddwylo bach llithrig yn seboni ei chefn. Ellis oedd yn erbyn y peth. Ia, a fo oedd wedi rhoi stop arno.

Dau bâr o goesau bach yn sgathru i fyny'r grisiau a thrwy'r drws.

– Dyna chdi, Deio bach, 'nei di ddim cau'r botyma 'ma ar gefn fy ffrog i mi?

– Ga i neud, Nain?

– Wel cei, am wn i.

– Tyd i weld, Maia.

– Mewn un munud, dwi'n cau botyma Nain iddi.

Dwylo bach medrus yn mynd i lawr ei chefn.

– Diolch, 'mach i.

– Gawn ni jest trio rhai ohonyn nhw?

– Plîs, Nain! Plîs!

*   *   *

– D'wn i'm be ddeudith Olwen, wir.

– Wyddai hi ddim faint o ddillad oedd ganddoch chi yn y lle cynta, na wyddai? Felly fydd hi ddim callach.

Gobeithiai nad oedd hi'n swnio'n ddigywilydd braidd.

– Pam oedd Anti Olwen 'u hisio nhw beth bynnag, Mam?

– O, i wisgo i fyny, efo'i chymdeithas drama, m'wn.

– Ia wir? 'Nesh i 'rioed feddwl am Anti Olwen fel actores.

– Mi fyddai hi wrthi'n ofnadwy efo Cymdeithas y Capal pan oeddan ni'n fengach. Be oeddan ni'n 'neud, 'yfyd? *Teulu'r Mans*, neu rwbath felly. Hi oedd y fam, dwi'n cofio gymaint â hynny, mewn ffrog biws roedd wedi'i chael gan wraig y gweinidog. A be o'n i, dywad? Merch – na, cyfnithar, dwi'n cofio rŵan – wedi dŵad yn ôl o Merica efo gŵr newydd sbon. Harri Foel oedd hwnnw.

– Oeddach chitha'n actio hefyd?

– Sbort gafon ni. Sbort garw.

Pwy fuasai'n meddwl? Wnaeth hi erioed ddychmygu ei mam yn cymryd rhan mewn drama, heblaw am ddrama'r geni pan oedd hi'n blentyn, efallai, a dyma hi'n agor y llen ar olygfa na welodd Ilid erioed o'r blaen.

– Hwn fydda i'n lecio.

Arhosodd Grace o flaen llwyn â'i flodau oren yn eu hanterth, yn gwreichioni o'r pren pigog, gwydn.

– *Orange king*, meddai, gan syllu arno'n fodlon.

– Mm, meddai Ilid, nad oedd yn hitio fawr amdano. Roedd yna rywbeth cras yn ei ddisgleirdeb, gormod o weiddi am sylw. – *Pyrocanthus* ydi'i enw iawn o, dwi'n meddwl. *Tân* mae o'n ei olygu.

– Ia, meddai Grace, gan blygu i dorri pen dant y llew. Ar ôl iddo fo orffan blodeuo, isio i ti dorri dipyn arno fo. Mae o'n rhy heglog, gei di weld del fasa fo ar ôl ca'l siâp arno fo. Ac mi wneith goed tân heb ei ail, mi baran trw'r gaea i ti.

– Ond Mam, sgynnon ni ddim lle tân i neud tân.

– Nagoes?

Edrychodd ar Ilid a golwg ddryslyd braidd arni.

– S'gin ti'm lle tân?

Ysgydwodd Ilid ei phen.

– 'Swn i'n taeru 'mod i wedi gweld lle tân yn rwla.

– Do, siŵr, ond dim un i 'neud tân go iawn. Tân nwy sy yno fo. Neu fydd yno fo, ar ôl i ni ei orffan o.

– Wel, be 'nawn ni efo fo 'ta?

– Efo be?

Iesgob, doedd dim posib cael sgwrs gall.

– Y pren, 'tê!

– Ond Mam bach, does dim rhaid i ni 'i dorri fo. Ac os wneith rhywun, mi geith y sbwriel fynd yn y *wheelie bin*.

– Mae o'n bigog, 'sti. Mi ddaw drw' bob bag plastig.

– Ond does dim angan!

Roedd 'hi fel tecell heb swits i'w droi i ffwrdd, yn berwi ac yn berwi a'r angar yn llenwi'r gegin, y tecell yn dawnsio'n lloerig ar ben ei dennyn. Ymhen tipyn byddai'n berwi'n sych a'r ffiws yn chwythu.

Dyna Mam rŵan ynghanol y rhosod gwynion, yn gwasgu pryfed duon rhwng bys a bawd. Trodd Ilid yn ôl i'r gegin. Daeth chwa o fwg i'w ffroenau. Damia, a hithau newydd roi dillad ar y lein. Meddyliodd am y *pyrocanthus*. Byddai'n gwneud tân bendigedig, meddai ei mam. Oren oedd lliw tân . . . ond oren gwahanol, yn cynnwys coch a melyn a glas, yn gryf, yn fyw ac yn beryglus.

– Gymrwch chi banad? galwodd.

– Cymaf, diolch, galwodd hithau'n ôl. – Dim *pyrocanthus* ydi nacw, 'sti. O'n i'n ama pan ddeudist ti gynna. *Berberis* ydi enw hwn. Ma'r llall gin Meri Garth yn ei gardd, bloda gwyn sy gynno fo. Yr aeron sy'n goch, o rheini mae o'n cael yr enw.

Ond chlywodd Ilid ddim; roedd hi wedi ei throi hi i'r gegin i lenwi'r tecell.

*   *   *

Ar ddiwedd y pnawn piciodd â'r plant i'r lle chwara, iddyn nhw gael cyfle i 'mestyn eu coesau. Yn groes i'w harfer, bwriodd iddi i redeg i lawr yr ochor efo nhw – diolch am gael dianc o rwystredigaethau'r tŷ! Eisteddodd wedyn efo'i llyfr ar y llechwedd uwchben y cae chwarae, heb fod ymhell o'r pwll tywod. Hidlodd sŵn y plant yn chwarae drwy rwydwaith y stori. Byd bach braf! Oglau gwellt wedi ei dorri a hufen haul, gwres y pnawn yn lapio'n ddiog dros ei hysgwyddau.

O lle daeth y sŵn crio? Dim Deio gobeithio! Na, dacw fo ar y si-so. Hogyn bach oedd o hefyd, rywfaint yn hŷn na Deio, yn cael ei wthio i ffwrdd gan ei fam – pladres fawr o ddynes, a'i chnawd yn gorlifo o'i dillad fel eis-crîm yn toddi dros gornet.

– Dos o'ma! Dwi 'di deud wrthat ti! Dos o'ma, 'nei di!

Dal i oedi wnaeth y bychan, a thrio 'mrengian drosti. Rhoddodd hithau wthiad arall iddo.

– Dos!

Ac mi aeth, a'i ben i lawr, a thywod yn glynu ar ei foch losgedig.

Be oedd o wedi ei 'neud? Be oedd hanner arall y stori?

*   *   *

Wnaeth hi gamgymeriad yn dod â'i thad i le fel hyn? Roedd y miwsig yn eitha tawel ar y funud, ond atseiniai rhyw guriad trwyddo a fygythiai foddi pob sgwrs. Medrai rag-weld llygaid Dad yn ymbil am ddistawrwydd, am gael ei achub rhag storm o sŵn. Ond nid felly rŵan. Cymerodd y fwydlen gan y weitres Ffrengig yn wên i gyd. Gofynnodd honno a oeddynt eisiau diod i gychwyn.

– Be gymri di, Ilid?

– Gwin gwyn a soda – Spritzer.

– Spritzer, ia! Chlywis i 'rioed am hwnna o'r blaen.

Fawr o ryfedd, gan mai prin iawn yr aent allan. Archebodd yntau sieri.

– Un reit sych, plîs.

– Efo rhew, syr?

– Rhew! Argol, na. Dim diolch. Dim rhew i mi.

– Mae'n boblogaidd iawn yma, syr.

Gwenodd yn llachar arno cyn troi ar ei sodlau uchel.

– Rhew mewn sieri!

Ysgydwodd ei thad ei ben.

– Maen nhw'n rhoi rhew mewn Cointreau a brandi a phob math o betha y dyddia yma. Dyna be sy'n ffasiynol.

– Neno'r tad.

Ond roedd golwg fodlon arno, fel pe bai'n dod wyneb yn wyneb â rhyfeddodau bywyd Llundain. Edrychodd hithau o'i chwmpas ar y byrddau marmor, y nenfwd uchel efo'r ffans enfawr yn chwyrlïo, y bar hir. Roedd hi wedi ffansïo'r lle ers iddo agor ryw chwe mis yn ôl – ond dyma'r cyfle cyntaf iddi gael mynd allan gyda'r nos. Diolch byth fod yn well gan Mam warchod. Roedd yna siawns am sgwrs go iawn efo'i thad. Rhywbeth a gafael ynddi, rhywfaint o ddyfnder. Rhannu ychydig o'i phryder ynglŷn ag Arun, efallai.

– Sôn am rew, Ilid, gneud i mi feddwl am y tro welson ni'r mynydd rhew 'na'n troi wrth ymyl Greenland yn ffiffti-tŵ. Ew, bu agos i ni 'i cha'l hi tro yna. Do, myn diân i.

Cyrhaeddodd y sieri ond prysurodd y ferch ymaith heb lwyddo i newid cwrs y sgwrs.

– Dwi'n cofio chi'n deud wrthan ni, Dad.

– Odd hi'n fis Mehefin, 'sti. Ma' 'na rai o gwmpas, 'run fath, wrth gwrs, ond efo'r tywydd braf – braf rownd y rîl, dim machlud – ti ddim yn meddwl amdanyn nhw 'run fath. A ti'n medru deud fel arfar pan ma' nhw ar fin mynd. Y pen yn fwy na'r gwaelod, ti'n gweld. Y môr wedi cnesu'n araf nes 'i fod o'n gnesach na'r awyr, hwnnw'n mynd yn debyg i gornet – ac wedyn y *big swing*!

– Mae o'n beth anhygoel.

– Dim ond hannar milltir i ffwr' oeddan ni. Iesu, y tonna, Ilid bach!

Biti ei bod hi wedi gweld y mynydd iâ'n bwrw ei din

dros ei ben ers pan oedd hi'n beth fach yn eistedd ar lin ei thad. Y llong yn llonydd wrth ei hangor, y morwyr yn eu smocs yn llnau pysgod yn barod i'w rhewi, yn clywed y sŵn, yn edrych i fyny ac yn gweld y don yn uwch na thŵr eglwys yn dod amdanynt, yn gollwng eu cyllyll ac yn gafael yn y peth 'gosa i arbed cael eu sgubo dros yr ochor.

– Wnaethoch chi golli tri o ddynion, do Dad?

– Do, tri, cofia. Ofnadwy.

Mi oedd hi'n stori dda. O, mi fyddai hi wrth ei bodd efo straeon môr ei thad yn hogan fach, y cyfnod hwnnw yn ei fywyd a'i gwnâi'n wahanol i bob ffarmwr a phob tad arall y gwyddai amdano.

Ar hynny cyrhaeddodd y *lapin au moutarde* iddi hi, a'r stecen halibwt iddo fo.

– Choelia i ddim dy fod di'n mynd i fyta cwningan mewn lle fel hyn.

– Pam lai? Fydda i byth bron yn cael cwningen ac mae o'n gig iach.

A'r math o fwyd a gynigid mewn bwytai yn Ffrainc yn aml iawn. Eisiau bwyta tamaid o Ffrainc yr oedd hi.

– Mi fwytis i ddigon ohonyn nhw amsar y rhyfal i bara oes i mi.

– O. Wyddwn i mo hynny. Sut ma'r halibyt?

– Gwerth chweil. Does dim byd i guro halibyt. Gofyn di i unrhyw forwr.

– Anferth o bysgodyn, tydi?

– Y peth mwya ddali di yn y North Sea. Ddarllenis i yn rwla fod yna fodel o'r mwya ddaliwyd, yn yr amgueddfa bysgota yn Hull.

– Isio i Mam a chitha fynd am wylia bach sy, i gael 'i weld o.

– Ddaw hi ddim 'sti.

– Dim mwy nag Arun. Ma' gwylia i ni fel teulu mor anodd . . . ma' Arun wastad isio mynd adra, a'i amsar rhydd o mor brin.

Doedd fiw iddi sôn am y twyll ar ddechrau'r flwyddyn; roedd yn fwy nag roedd hi'n barod i'w gyfaddef. Medrai deimlo ei brest yn gwasgu wrth iddi grybwyll y peth o gwbwl. Peryg iddo fynd yn stwmp ar ei stumog.

– Wel ydi siŵr, ma' hi'n anodd, dwi'n gwbod hynny . . .

– Mae ei fam yn crefu arno i fynd i'w gweld, dach chi'n dallt.

– Ydi? Taw. Faint ydi 'i hoed hi, hefyd? 'Run faint â fi?

– Fengach, dwi'n meddwl. Chwe deg pedwar. Ne bump fan bella. Ma' hi'n disgwl i Arun fynd yno bob cyfle geith o, a'i gneud hi'n well. Ond y peth ydi, efo afiechyd fel'na, un o'r petha pwysica ydi pwysa, a ma' hitha'n bell dros be ddyla hi fod.

– Clefyd y galon sy arni?

– Ia. Tydi'r bwyd ma' nhw'n fyta fawr o help, lot o *ghee*, menyn wedi toddi, heb sôn am fferins, bisgedi, pwdina . . .

– Pysgod.

– Be?

– Pysgod ddyla hi fyta.

– Ia. Ia, dach chi'n iawn.

– Y peth iacha i ti. Ysgafnach na chig, haws i'w dreulio. Llawn o fitamins. Pan fyddan ni i ffwrdd ar y llong ar daith hir, mynd i'r Cylch Arctig i bysgota am ddeufis, mi fyddan ni'n cychwyn efo pob math o ddanteithion. Cig moch, wyau, bîff, a'r cwc yn 'u gneud nhw i ni y dyrnodia cyntaf – ond wyddost ti be?

Gwyddai'n iawn. Plygodd yntau tuag ati, yn mynd i hwyliau.

– Roeddan ni'n crefu am bysgod. Er ein bod ni'n gwbod y basan ni'n gorfod byta pysgod am wsnosa ar ôl i'r petha arall redag allan, neu ddifetha. Chwant pysgod maen nhw'n 'i alw fo.

Gwyliodd Ilid gynffon ei sgwrs ddifrifol yn diflannu trwy ddyfroedd dwfn atgofion ei thad.

– Be gymri di'n bwdin?

– O, d'wn i'm i a dwi isio pwdin.

– Rhaid i ti gael pwdin, siŵr iawn.

Pam, Dad, pam? Am 'mod i 'di cael tri pwdin unwaith pan o'n i'n naw oed? Am ei bod hi'n jôc yn y teulu mai fi oedd yn gwirioni ar bwdin?

– Cym eis-crîm, o leia. Sorbet, ryw fath o eis-crîm ydi hwnnw. Yli, efo mango a leim.

Roedd yna oslef o grefu yn ei lais. Fyddai pethau ddim yr un fath os gwrthodai Ilid, o bawb, bwdin.

– Mae o'n sobor o neis, porthodd y weitres.

– Wel . . .

– 'Na fo 'ta. Coffi i mi, plîs.

– Mi ydach chi'n dal i lecio cacan hada. Chi a finna.

Roedd y ddau ohonynt yn sipian eu coffi, a bys Ilid yn glanhau gwefl y ddysgl bwdin.

– Cacan hada? Be goblyn?

– Cacan felan efo hada bach du ynddi. *Caraway*, dwi'n meddwl. Mi fydda Mam yn arfar gneud un ar ddydd Sul yn reit amal. Am eich bod chi'n 'i lecio hi. A finna. Dim ond ni'n dau oedd yn ei byta hi.

– Ia, ia. Dwi'n cofio. Ond pam sonist di am honno rŵan?

Pam lai, meddyliodd Ilid, os cewch chi sôn am halibwt ynghanol sgwrs am fam-yng-nghyfraith.

– Am mai cacan amsar rhyfel oedd hi, 'tê. Dwi'n cofio Mam yn deud. Dyna pam doedd hi ddim yn hitio amdani.

– Ia wel. Ti'n iawn. Dwi'n cofio Mam yn 'i gneud hi adra. Rhen hada bach 'na, fath â cachu llygod – blas mor gry arnyn nhw. Be ddeudi di. Ma' rhywun yn lecio rhai petha, waeth pa mor od.

Roedd golwg bell i ffwrdd arno, a dyfalodd Ilid fod atgo'r blas wedi mynd ag yntau'n ôl i gegin ddiflanedig ei blentyndod.

Roedd hi'n hwyr arnynt yn cychwyn cerdded adre. Edrychai'r stryd fawr yn wahanol: y siopau'n dawel, a sŵn a goleuadau'n llifo drwy ffenestri a drysau'r tai bwyta a'r tafarndai. Iesgob, roedd mynd allan gyda'r nos wedi mynd yn beth diarth iddi hi!

* * *

Roedd y clinig i fod i gychwyn am ddau a gorffen am bedwar. Wrth gwrs doedd neb yn disgwyl iddo orffen cyn hanner awr wedi pump. Roedd yr hen rai wedi hen arfer â'r system, a byddent yn ychwanegu deg munud, ugain munud neu hanner awr at amser eu hapwyntiad yn ôl eu lle yn rhaglen y prynhawn. Dim ond y rhai newydd oedd yn mynd at y ddesg i gwyno.

Gwelodd Arun dri *angina*, dau *angioplasty*, un afiechyd 'dau-v' (anaddas ar gyfer *angioplasty*) ac un ces ar y ffin rhwng *angioplasty* a *bypass*. Bu'n trio argyhoeddi'r olaf mai *bypass* fyddai'r dewis gorau iddo ef.

– Ond doctor, mi ddarllenis i 'u bod nhw'n cracio esgyrn ych brest chi yn yr opereshon yna . . .

– Wel, ydyn.

– ac yn pasio'ch gwaed chi i gyd drwy beiriant . . .

– Dyna chi.

– ac yn stopio'ch calon!

Gwenodd Arun, er iddo drio peidio. Dim chwerthin am ben diniweidrwydd y claf roedd o, na dangos pellter chwaith rhwng cyfyngder hwnnw a diogelwch y doctor. Na, rhywbeth amgenach oedd y wên, cydnabyddiaeth o'r arswyd y medrai'r fath driniaeth ei greu, ochr yn ochr â'r prawf gwyddonol ei fod yn gweithio.

– Coeliwch fi, mi ddowch drwyddi'n iawn. Fel y mae degau, cannoedd – miloedd erbyn hyn ar draws y byd – wedi dod drwyddi'n barod. Dim rhyw dechneg arbrofol ydi hon, Mr Richards.

Ysgwyd ei ben o ochr i ochr wnaeth Mr Richards.

– Meddyliwch am y llawdriniaeth fel twnnel hir, os leciwch chi – fel y twnnel o Dover i Ffrainc. Camp beirianyddol, yntê, a champ gweledigaeth hefyd, yn y lle cynta. Mae'r rhai cynta i fynd drwyddo yn cau eu llygaid, yn llyncu eu poer, yn dychmygu muria'r twnnel yn chwalu a holl ddŵr y sianel yn tywallt i fewn. Ond ar ôl iddyn nhw gyrraedd y pen draw yn saff, mae yna filoedd yn heidio drwyddo fo bob dydd.

Roedd o'n hoff o'r ddelwedd yma. Teimlai ei bod hi'n amserol, yn berthnasol (roedd llawer un o'r cleifion wedi bod ar Eurostar), a hefyd efallai yn symbol o'r siwrne drwy dywyllwch salwch i dir sych iechyd.

Pwysodd Mr Richards yn ei flaen, yn amlwg wedi ei gyffwrdd.

– Os mai twnnel ydi *bypass*, be 'di'r *angioplasty*? Cwch? Achos, o'r ddau beth, well gin i gwch, unrhyw ddydd.

*   *   *

Roedd hi'n ugain munud wedi pedwar ar Marie Mckinnley'n dod i mewn, ond doedd hi ddim mewn hwyliau drwg. Wedi hen arfer, mae'n siŵr. Gwisgai dop gwyn llewys byr a synnodd Arun at y lliw brown iach ar groen rhychiog ei breichiau. Sylwodd ei bod dipyn bach yn gloff; doedd y pwysau a gariai fawr o help. Eto, mae'n rhaid ei bod hi wedi colli tipyn. Rhoddai'r argraff o fod yn nobl yn hytrach nag yn dew.

Dechreuodd gan ysgwyd llaw a'i gyflwyno ei hun, ac yn ôl yr arfer rhoes grynodeb byr o'i hanes meddygol hyd yma. Nodiodd hithau ei phen i gadarnhau wrth iddo wibio trwy ei helyntion.

– Mae'n ddrwg gen i glywed na fuoch chi'n teimlo'n dda ar ôl y *bypass*. Ond rydych chi'n edrych yn bur dda. Lliw haul hyfryd.

– Digon tebyg i chitha.

– Wel ia. Ond etifeddiaeth sy'n gyfrifol am f'un i.

– I'r *allotment* mae'r diolch am hwn.

– O, ia? Ydi garddio'n ddiddordeb diweddar gynnoch chi?

Mi allasai hyn wneud byd o les.

– S'gin i ddim byd i ddeud wrth floda.

– O. Eich teulu felly . . .

Ella ei bod newydd gael cariad, ac yn eistedd mewn

cadair gynfas yn mwynhau'r haul tra oedd ryw hen foi'n tendio'r *gladioli*.

– Na, tyfu petha fydda i. Tatws – ma' gin i dair rhes o datws leni. Bîtrwt. Does 'na ddim byd i guro blas bîtrwt wedi i chi 'u berwi nhw'ch hun. Fydda i ddim yn trystio'r hen betha ma'r siopa'n 'u gwerthu. Llawn o wenwyn.

– Ia wir. Ond – esgusodwch fi – fasach chi ddim yn galw tyfu llysiau'n arddio?

– Nes at ffarmio, yn fy marn i. Merch ffarm ydw i, Nhad yn ffarmio yn swydd Antrim.

– Gogledd Iwerddon?

– 'Na chi. Nabodoch chi mo'r acen felly?

Ysgydwodd ei ben.

– Dwi'n well nag o'n i, ond . . .

– Dim rhywun o ffor'ma ydach chitha chwaith.

Cytunodd gyda gwên, gan ddotio at y ffordd yr oedd hi wedi rhoi'r ddau ohonynt, fel estroniaid, yn yr un cwch. Wrth gwrs, mi fuasai wedi bod yn anghywir efo llawer i ddoctor Asiad yr olwg (a hanai mewn gwirionedd o Bradford neu Brent), ond doedd ganddo mo'r awydd i bwysleisio hynny . . . Merch ffarmwr, ie, yn ceisio cadw ei dwylo yn y pridd.

– Merch ffarm ydi 'ngwraig i hefyd. O Gymru.

– Tewch. Oes gynni hi hiraeth? Mi gymrodd flynyddoedd i mi 'i goncro fo, do wir.

– Wyddoch chi be, fedra i ddim deud. 'Dan ni ddim wedi sôn am y peth yn ddiweddar.

Cofiai'r olwg ddryslyd ar wyneb Ilid pan fyddai'n ei chwrdd oddi ar y trên yn Euston: disgrifiodd y profiad o gyrraedd yn ôl unwaith fel gwaed ei chorff yn llifo'r ffordd groes.

– Ma' gin i hiraeth.

Doedd o ddim wedi bwriadu dweud hynna. Disgwyliodd iddi ofyn am be, neu bwy, ond nodio ei phen wnaeth hi.

– Tydio'n beth rhyfadd? Mi eith rhywun yn iawn am hir iawn – wsnosa, misoedd, blynyddoedd hyd yn oed – ac yn sydyn . . .

Gwnaeth ystum o ffrwydro efo'i breichiau . . .

– dyna'r hen graith yn agor eto!

– A dyna ddylen ni fod yn ei drafod, Miss Mckinnley, eich llawdriniaeth. Deudwch i mi, sut ydach chi'n teimlo'r dyddia yma?

Gwenodd yn gynnes arno. Roedd hi'n barod i ddechrau.

*   *   *

Tywalltodd Highland Park iddo'i hun ar ôl cyrraedd adre, gan wybod y dylai fod yn edrych i weld pa ddeunydd bwyd oedd yn y ffrij. Hiraeth am y cam cyntaf oddi cartre, pan oedd o'n dal i gredu yr âi yn ei ôl. Synnodd at y tinc unig ym mlas y mawn. Llythyrau i'w fam a'i chwiorydd bron mor hir â defnydd eu *saris*. Patrymau ei fywyd newydd wedi eu stampio'n undonog arnynt – yr ysbyty, y clinigau, y cantîn, y ddinas, y tirlun diarth o'i amgylch.

Mi oedd ei dad wedi rhag-weld na ddeuai'n ôl, a'i fam wedi ei ofni. Chwarddodd yntau am eu pennau.

Nes iddo gyfarfod Ilid.

Yn ei hôl yn yr un fan. Y drysau pin wedi eu cau y tu ôl iddi. Y ffenest fawr blaen yn ymestyn o'r nenfwd bron i'r llawr ar ei hochor chwith. Y waliau melyn golau lliw briallu. Cadair freichiau Hannah; y ddwy gadair wellt tu ôl iddi, a'r gadair *chaise longue* lle roedd hi ei hun yn eistedd. Dim ar ei hyd chwaith, ond mewn un gornel. Man llonydd a'i hwythnos hithau wedi troi o'i gwmpas.

Y tro yma roedd ganddi lawer i'w ddweud, bron fel na wyddai lle i ddechrau, y brws gwallt ynte'r gwaith cartre, ei mam ynte ei thad – a doedd fiw iddi fynd oddi yno'r tro yma heb drafod Arun. Ond eto disgwyl a wnaeth. Gosododd Hannah ei the mintys ar fwrdd bychan wrth ei phenelin, a setlo ei hun yn ei chadair. Cododd yr angar oddi wrtho a llenwi'r ystafell â'r arogl melys-gyfarwydd. Gwnâi i Ilid feddwl am ei thad yn llenwi'r injan-dorri-mint, a thorri a stwnshio'r dail i wneud mint-sos i fynd efo'r cig oen ar ddydd Sul yn yr haf. Olwyn efo dannedd bach miniog, wedi rhydu ryw gymaint, ond teclyn bach snec, yn mynd yn ôl ac ymlaen yn brathu'r dail aromatig.

– Wel, ddechreuwn ni?

– O!

Mi oedd hi mor barod i ddechrau gynnau, ond dyma hi rŵan yng nghegin Bryn Hudol ar fore Sul yn y saithdegau.

– Hoffech chi ddweud sut y mae petha wedi mynd yr wythnos yma? Neu oes yna rywbeth, rhyw le arbennig, yn cynnig ei hun fel man cychwyn?

– Wel, a deud y gwir, yn y gegin adra yr o'n i rŵan. Adra yng Nghymru, dwi'n feddwl.

Byddai Maia yn ei phryfocio ambell dro am ddweud eu bod yn mynd adre am y gwyliau. ''Dan ni adra'n barod!'

– Eich te mintys wnaeth i mi feddwl amdano yn y lle cynta. Ond mi ges i freuddwyd, hefyd. Am fy mam, yn y gegin – ella y dylwn i ddeud bod fy rhieni wedi bod acw'n aros. Newydd fynd maen nhw, echdoe. Ac echnos ges i'r breuddwyd.

– Hm. Gall breuddwydion fod yn bwerus iawn. Ond, ar y cyfan, fydda i ddim yn tueddu i weithio â nhw. Maes go ddyrys. Does gen i ddim gymaint o brofiad.

Soniai Hannah am faes breuddwydion fel y soniai Arun am faes *geriatrics* neu *paeds*.

– Ond ewch yn eich blaen. Gawn ni weld sut i fynd i'r afael â hi.

– Yn gegin Llannerch oedd Mam – ei chartre hi, dim ein cartre ni rŵan. A'r hen simdde fawr, ddu oedd yno, yn lle'r Rayburn. Popty ar bob ochor. Roedd hi wrthi'n tynnu cacennau allan o'r popty a'u gosod ar y bwrdd. Roedd yna Bakewell Tart, cacen hadau, a dau hanner Victoria Sponge. Mi trawodd nhw i lawr fesul un ar y bwrdd. Mi oedd y Bakewell Tart yn neis, a'r gacan hadau, a honno wedi crasu'n dda, ond mi oedd y sbwnj wedi cipio, braidd yn gam, heb godi'n dda iawn, a Mam yn bustachu'n arw drostyn nhw, be i 'neud i guddio'r rhan oedd wedi llosgi. D'wn i'm a oedd hi'n gacen pen-blwydd, ne'n gacen ar gyfer pobol ddiarth, 'ta be.

Roedd gan Ilid syniad go dda be oedd ystyr y breuddwyd. Meddai Hannah:

– Mae yna dechneg – rwy wedi ei gweld yn cael ei defnyddio, ond heb ei defnyddio fy hun.

– Mae'n swnio'n debyg ofnadwy i lawdriniaeth.

– Ydi, tydi. Fel arfer, mae'r cwbwl wedi ei seilio ar wneud llun. Chi'n gwneud llun o'ch breuddwyd.

– Be, rŵan?

– Ie, ond does gen i mo'r offer, na phapur na dim, heb fynd i chwilota. Heblaw ein bod ni'n mynd efo'r darlun yn eich co'. Mae'r breuddwyd yn dal yn glir yn llygad eich meddwl, ydi?

– Ydi.

– Wel, dyna be wnawn ni, 'te.

– Dydi hyn ddim braidd . . . yn arbrofol?

Doedd ganddi ddim llawer o awydd i Hannah drio rhyw dechneg na wyddai hi fawr ddim amdani arni. Chlywodd hi mo ateb Hannah, a dechreuodd siarad cyn iddi hi orffen:

– Ym, a dweud y gwir, ma' gin i ryw syniada am ystyr y breuddwyd.

– Oes?

– Oes. Ga i ddeud wrthoch chi be 'di 'nehongliad i?

– Wrth gwrs, os mai dyna ydych chi eisiau ei wneud. Ond dim dehongliad syml sy i'w gael drwy ddilyn y dechneg y soniais i amdani.

– Ia, ond ma' 'na rai ffeithiau y dylech chi wybod, ella, am fy nheulu i.

– O'r gore. Ewch yn eich blaen.

Synhwyrai Ilid nad oedd Hannah'n hollol fodlon, fod yna wydnwch barn tu ôl i'w hymddygiad ymddangos-iadol resymol a goddefgar. Ie, goddefgar! Fel petai hi, Ilid, fel rhyw blentyn anystywallt yr oedd rhaid ei swcro. Teimlai ei hun yn poethi; ysgydwodd ei phen i gael gwared o'r terfysg. Cododd Hannah ei haeliau. Taflodd Ilid ei dwylo i fyny.

– O, d'wn i'm!

– D'wn i'm be?

O mor rhesymol. Plethodd Ilid ei bysedd a gwyro'i phen.

– Dewch. Waeth i chi ei ddweud o ddim. Dydych chi ddim yma i sbario 'nheimlada i. Waeth pa mor annifyr, neu *embarrasing* ne boenus, ma' ganddoch chi'r hawl i'w dweud nhw yma. Dyna am be dach chi'n talu.

Ei dwylo'n sboncio eto fel pe baent ar linynnau.

– Dach chi'n fy nhrin i fel plentyn.

– Ydw i?

– Dach chi'n gneud i mi deimlo fel plentyn, 'ta . . . yn mynnu cael fy ffordd fy hun, yn lle gwrando ar be sy galla. A chitha'n gwbod ora.

– Mae'n ddrwg gen i os mai dyna'r argraff rois i.

– Dydach chi ddim, felly? Yn gwbod ora?

– Ma gin i fy syniada, oes. Ond tydyn nhw ddim heb amheuon, ansicrwydd . . . wela i mono fo yn nherma 'gwybod orau', a bod yn onest. Rhywbeth tebycach i gwest . . . hm, dewis diddorol . . .

– O, fedra i ddim cytuno â chi, Hannah! Dwi'n cofio be ddeudoch chi ar ddiwedd y sesiwn ola, y ddwy ochor i 'nghymeriad i ac yn y blaen – roeddach chi wedi gweithio hynny allan tra oeddwn i'n siarad – be ydi hynny ond gwbod ora?

– Ond fedra i ddim peidio â ffurfio barn, neu ddehongli, Ilid. Dyna pam rydych chi'n siarad efo fi a dim efo'r drych. Neu'r wal yna.

Roedd hi'n iawn, wrth gwrs. Tynnodd hyn y gwynt o hwyliau Ilid. Ddywedodd yr un ohonynt air am funud.

– Mae 'na rywbeth pwysig yn fa'ma i chi, meddai Hannah, ynglŷn â phwy sy'n gwbod ora. Ydi'r geiria'n canu cloch o gwbwl? Dim yn y presennol, falle – ymhellach yn ôl.

Mi oeddan nhw.

– Mam.

– A!

Er nad oedd hi'n or-hoff o'r atsain fuddugoliaethus yna yn yr ebychiad, fedrai Ilid ddim peidio â chario ymlaen, fel coets yn rhedeg i lawr yr allt.

– Mam oedd yn gwbod ora bob tro. Pryd i wisgo dillad haf, pryd i dynnu fest, sut i dorri gwallt hogan bach – gwallt cwta a *fringe* bob tro, er nad oedd o'n fy siwtio. 'Fel 'na fydd hi yma, Ilid, a dyna ben arni.' Pan o'n i'n fach, roedd hi'n mynd ar fy nerfa, ond pan o'n i'n hŷn, roedd hi'n fy ngyrru fi'n wallgo. Y ffraeo fyddai acw am bod yna fodfedd o bais yn dangos! Ne dros *nail varnish*. Roeddan ni'n dychryn fy ffrindia.

Sera. Hi oedd ei ffrind pennaf, hi oedd yn cael dod draw i aros bob nawr ac yn y man, a'i chanmol am ei dillad call a'i hymddygiad cwrtais.

– Dwi'n cofio dŵad adra ar y bỳs ysgol, wedi ei herio hi a mynd i'r ysgol heb dynnu'r *nail varnish*. O, mi oedd o'n un neis, *peaches and cream*, oren gola, ro'n i wedi gwirioni efo fo, heb sôn am dalu'n ddrud amdano – roedd hynny hefyd yn achos stŵr – beth bynnag, yn y chweched roedd 'na jans reit dda na fasa neb yn sylwi arno fo. Dwi ddim yn cofio i mi ga'l traffarth yn yr ysgol. Ond dwi'n cofio'n iawn trio'i grafu o i ffwrdd ar y bỳs ar y ffordd adra.

– Perthynas reit ymfflamychol, felly, fasach chi'n dweud.

– Ia. Ar yr wyneb. Ond, o sbio'n ôl, dim y ffraeo ydi'r teimlad cryfa chwaith. Dwi'n gweld Mam wedi troi i ffwrdd oddi wrtha i, er gwaetha'r holl ffỳs, fel tasa hi'n cipio golwg arna i dros 'i hysgwydd. Ar Tudur oedd ei sylw hi. Dyna be o'n i am ddweud wrthoch chi gynna. Fy mrawd ieuenga i ydi Tudur, pedair blynadd yn fengach na fi, ac mi gafodd o ei eni efo clefyd ar ei arennau.

– Mi wela i.

– Mi fu'n sâl iawn yn fabi, i mewn ac allan o'r ysbyty i gael *dialysis*. Mi gafon ni beiriant adra pan oedd o'n bump oed ac mi wnaeth hynny lot o wahaniaeth. O leia mi oeddan nhw'n aros adra wedyn, Mam a Tudur. Hi oedd yn mynd efo fo bob tro.

– Dwi'n meddwl 'mod i'n deall. Roeddach chi'n bedair pan anwyd Tudur. Roedd eich Mam yn poeni amdano, yn gorfod mynd i'r ysbyty yn gyson efo fo, gan eich amddifadu chi o'i sylw a'i hamser hi.

– Ia. Ia, ac yn y breuddwyd, i ddod yn ôl at hwnnw, Tudur ydi'r gacan sbwnj sy wedi llosgi, honno mae Mam yn ffwdanu cymaint yn ei chylch. Y ni'n dau, Gerallt a fi, ydi'r cacennau erill, yn hollol iawn, ond waeth gin Mam amdanyn nhw. Maen nhw'n iawn, dim problem, dyna hi.

– Wel ie. Falle bod gynnoch chi ryw ddwrn drws ar y breuddwyd yn fan'na.

– Ydach chi'n cytuno efo fi?

– Wel, faswn i ddim yn anghytuno. Dwi'n siŵr fod yna lawer o wir ynddo. A chan ein bod wedi dod yn ôl at y breuddwyd, a finna wedi cael y wybodaeth ychwanegol ganddoch chi am eich teulu, beth am i ni roi'r breuddwyd o dan math arall o sbienddrych rŵan? Yr ochor chwyddwydr, edrych yn agos, agos.

– Os ydach chi . . . O, o'r gora.

– Canolbwyntiwch nes fod y darlun yn glir yn eich meddwl.

A sbiodd Ilid trwy lens ei cho a ffidlan efo'r ffocws nes bod ei mam yn llenwi cegin Cae'r Fedw, ei braich yn estyn y naill gacen ar ôl y llall o ddüwch poeth y popty a'u taro ar bren trwchus y bwrdd.

– Dewiswch un peth. Rhywbeth sy'n eich taro fel canolbwynt i'r breuddwyd, sy'n fwy nag o ei hun.

Mi wyddai'n syth: y gacan hadau. Duw a ŵyr pam – ella am ei bod yn blysu amdani, y dinc od yna yn y blas, yr hadau *caraway*.

– Rŵan, dwi isio i chi siarad fel y peth yna. Fel y gacen hadau.

Blydi hel, roedd hyn yn wirionach a rhyfeddach hyd yn oed na'r wythnos ddiwetha – a heblaw ei bod hi wedi gwneud hynny, fyddai hi ddim yn poetsio efo hyn o gwbwl. Ond wedi dechrau, y tro o'r blaen, mi aeth yn ddi-fai, felly doedd waeth iddi roi cynnig arni ddim.

– Reit. Y gacan hada ydw i.

Bu'n stop am rywfaint, ac yna meddai:

– Dwi wedi codi'n berffaith, mae 'nhop i wedi crasu'n frown ac mae'r hollt ar fy nghrib yn dangos tu mewn melyn ffres ac ogla wy arno. Mae'r hada bach du yn dawnsio drwydda i. Y nhw sy'n rhoi blas arna i. Y blas diarth. Blas rhyfel. Fi ydi'r gacan amsar rhyfel. Pan oedd 'na ddim ffrwythau sych, dim syltanas a rhesin a chyraints i 'neud torth frith. Fi ydi'r gacan-gwneud-y-tro.

Roedd gwddw Ilid yn grug.

– Ond ma' Dad yn fy lecio i. Fedar Mam mo 'niodda i. Weithia, dwi'n llwydo yn y bocs cacan achos does 'na neb isio 'myta i.

Roedd y dagrau yna'n brifo'n ofnadwy yng nghefn ei llwnc. Llaciodd ei gafael a phowliodd rhai ohonynt i lawr ei bochau. Pasiodd Hannah y bocs hancesi papur iddi.

Ceisiodd siarad, ond cafodd drafferth.

– Does dim brys.

– Wnes i ddim meddwl y basa fo mor – d'wn i'm – mor gry . . .

– Mi all y petha 'ma fod yn bwerus iawn. Deudwch pan dach chi'n barod i symud ymlaen.

– Oes raid i mi? Honna oedd yr un, 'tê? Hi oedd fi.

– Ie, ar ryw olwg. Ond y chi ydi'r petha eraill yn y breuddwyd, hefyd, yn ôl y syniad yma. Mae popeth yn y breuddwyd yn cynrychioli rhan ohonoch chi.

– Oes raid i mi fod yn Bakewell Tart?

Gwenodd Hannah.

– Ella bydd o'n brofiad neis.

Ymhen ychydig eiliadau dechreuodd Ilid arni.

– Wel. Fi ydi ffefryn pawb yn y teulu. Fedar neb faddau i bishyn bach ohona i. Dwi'n felys, hyfryd, mae fy sbwng yn ymdoddi i'r jam mafon a hwnnw'n suddo i'r pêstri. Dwi'n gymysgedd sy'n gweithio, mae pob rhan yn asio efo'i gilydd. Ychydig iawn iawn ohona i sy ar ôl, m'ond y tamad lleia un; ma'r plant yn fy llowcio, a Mam a Dad yn torri tameidiau bach yn amal.

Stopiodd.

– O God! Dyna'n union be sy'n digwydd i mi.

– Ie. Mae'n rhyfeddol o gysáct weithia. Arhosodd am eiliad neu ddwy cyn ychwanegu – Beth am y gacen arall – yr un oedd wedi llosgi?

Dechreuodd Ilid yn ddi-oed y tro yma.

– Dwi'n amherffaith. Mae 'na bob math o betha da

wedi mynd i fy ngwneud i – menyn, wyau, siwgr, blawd, llaeth – ond dydw i ddim fel y dylwn fod. Ges i fy llosgi. Mi anghofiodd Mam fi yn y popty. Dwi'n gam ac yn hyll. Fydd neb fy isio fi.

– Sut fath o flas sy arnoch chi?

– 'Di 'mlas i ddim yn ddrwg i gyd. Dim ond y darn llosg.

– Be wnewch chi efo hwnnw?

– D'wn i'm. Ei dorri i ffwrdd, neu ei guddio ella . . . ond wedyn mi fasa'r blas drwg yn dal yna . . . ne 'i grafu o i ffwrdd, fel y bydda Mam yn crafu tost, fesul tipyn.

Saib am ennyd.

– Ydach chi'n teimlo eich bod wedi gorffen?

– Ym. Rhoswch am funud. Dydw i ddim isio'r darn caled, du. Ond fedra i ddim cael gwarad arno fo heb anafu fy hun.

Saib.

– Dw i wedi gorffen rŵan, dwi'n meddwl.

– Dyna'r cacennau – wedi eu gwneud, fel petai. Beth am roi cynnig ar Mam? Fedrwch chi wneud hynny?

– Mi fedra i drio. Ond dwi'n dal i deimlo mai Mam ydi hi.

– Falle. Ond hwyrach y gwelwn ni rywbeth arall hefyd.

Cafodd Ilid drafferth i ddechrau'r tro hwn, fel gyrrwr yn dreifio car anghyfarwydd a'i thraed yn llithro ar y pedalau a pheri i'r injan farw o hyd.

– Mm, meddai o'r diwedd. – Dwi'n llond y lle. Dwi'n gorfod bod ym mhobman. Yn estyn a chadw, paratoi a chadw golwg. Fel melyn wynt dwi'n troi, mae 'mreichia i'n fawr ac yn gry. Ond weithia dwi'n methu.

Mi losgais i'r gacan 'na. A finna'n un mor dda am wneud Victoria Sponge, ac wedi gneud *buttercream* i fynd yn ei chanol hi'n barod. Go drapia! Mi fedrwn ei thorri hi'n fân i wneud treiffl. Ne mi fedrwn dorri pob ochor i ffwrdd i wneud cacen sgwâr, lai. Trafferth fasa hynny, a debyg iawn mai golwg flêr fasa arni hi yn y diwedd. 'I chrafu hi'n ofalus a thorri tamaid bach o'r crwst yn unig, dwi'n meddwl mai dyna be wna i.

– Dyna fi wedi achub y gacen, meddai Ilid wrth Hannah.

– Ie, meddai hithau. Mi ddoth y fam ynoch chi, honno sy'n ymdopi ac yn cario ymlaen i wneud y gorau o bethau.

– Ond fydd hi byth yn berffaith.

– Na; ond mi fydd hi'n iawn.

– Bod yn iawn. Yn ol-reit. Yn ocê. Fedrwn i byth weld hynna'n ddigon. Ac eto, dyna am be rydan ni'n dyheu weithia, yndê; pan fydd rhywun wedi brifo – cael gwybod y byddan nhw'n iawn.

– Ac mi oeddech chi wedi brifo, ar ôl curo Maia.

– O oeddwn. Ond fedra i grafu hynna i ffwrdd?

– Dyna be rydan ni'n eu wneud. Achub y gacen.

Bu ennyd o fodlonrwydd rhyngddynt. Yna meddai Hannah:

– Dim ond un peth ar ôl rŵan.

– Rwbath arall?

Roedd Ilid wedi blino: roedd y nofio dan ddŵr yma wedi mynd â'i hanadl ac yn ymestyn cyhyrau anesmwyth.

– Y simdde fawr.

– O, honno. Oes raid i mi 'neud honno?

– Wel, nagoes, dim rhaid. Ond . . . mae'n well gorffen yn iawn?

Cytunodd Ilid ag ystum cynnil. Sawl gwaith yr oedd hi, fel athrawes, wedi dweud pethau tebyg wrth blant ysgol? 'Dowch, i chi gael gorffen yn iawn.' Un frawddeg, un paragraff, un cwestiwn, un sỳm. Roedd gorffen mor bwysig. Bod yn drwyadl.

Clywodd ei hun yn ochneidio.

– O, dwi 'di blino cofiwch.

Atebodd Hannah'n garedig.

– Mae o'n waith caled. Ylwch, rhowch drei bach arni, ac os na fydd pethau'n llifo, hwyrach y medrwch chi sgwennu amdano gartre.

– O, o'r gora 'ta. Jest am funud.

Wedi ei threchu. Cafodd gip o syniad: oedd Hannah yn disgwyl iddi hi ei herio, gwrthod gwneud, bod yn ddrwg – fel gynnau? Penderfynodd beidio â gwneud fawr ddim o ymdrech. Os oedd y peth yn chwerthinllyd o blentynnaidd a syml, dyna fo.

– Dwi'n fawr, dwi'n ddu a dwi'n boeth. Henffasiwn fel beic ac yn fodern fel beic hefyd. Dwi'n twymo dŵr a dwylo. Dwi'n cadw'r lle i fynd, gneud bwyd a sychu dillad.

– M, mwmialodd Hannah.

– Ond, meddai Ilid yn sydyn – mi ges i fy nhynnu allan ac mi ddoth y Rayburn yn fy lle.

– Sut oedd hynny'n gwneud i chi deimlo?

– Wel, digon blin, i ddechra. Ond ma' 'na rwbath reit solat ac urddasol mewn Rayburn, yn ei ffordd ei hun. Y gwir amdani ydi 'i bod hi'n gneud yr un petha â fi, ac yn gneud rhai ohonyn nhw'n well.

Roedd Ilid yn falch o'r peth syndod ar wyneb Hannah.

– Dyna ni?

– Dyna ni.

Y rhyddhad o orffen y strets olaf yn y pwll ac ymestyn braich at yr ochor.

– Yn y deg munud sy ganddon ni ar ôl, be fasach chi'n lecio i ni ganolbwyntio arno?

Cysidrodd Ilid.

– Ga i ofyn un peth?

– Cewch siŵr.

– Os mai fi oedd y simdde fawr, yna be – neu pwy – ydi'r Rayburn?

Ystyriodd Hannah y cwestiwn o ddifri.

– Doedd y Rayburn ddim yn y breuddwyd, nagoedd?

– Nagoedd.

– Hm. Wel, fel y deudais i gynna, dwi ddim yn arbenigo ar yr ochor breuddwydion. Ac os ca i ddyfalu tipyn bach, dwi'n ama mai'ch dychymyg chi oedd wrthi, yn diweddaru'r breuddwyd ar gyfer heddiw.

– Ond ma' gin rai pobol – rhai cyfoethog fel arfer – simdde fawr yn eu tai heddiw.

– Ond ddim i gnesu'r dŵr, nac i redeg y gwres canolog.

– Digon gwir.

– Meddwl ydw i, meddai Hannah – eich bod chi wedi cael digon ar fod yn simdde fawr, ac yn awyddus i gael eich – wel, moderneiddio fasa'r gair, mae'n siŵr.

– Mm.

– Sonioch chi ddim wrtha i, meddai Hannah, pam y penderfynoch chi roi'r gora i'ch gwaith.

– Wel, mae'n amlwg, siawns? I fagu'r plant.

– Plant? Roeddech chi wedi penderfynu cael teulu, felly?

– Wel . . .

Gwelodd yr olwg ar wyneb Hannah.

– Ydach chi wedi dal rywbeth?

– Chi ŵyr, yntê.

Ond roedd golwg fel pysgotwr wedi cael bachiad arni hi. A gwnaeth hynny i Ilid droi i ffwrdd a gwingo i gyfeiriad gwahanol.

– D'es i ddim yn ôl i weithio ar ôl cael Maia am fod y tŷ gynnon ni. Yn un peth mi oedd o'n anferth a llawer o waith gwneud arno fo, ac yn beth arall mi oedd o'n rhy bell o lawer o'r ysgol.

– Mi fyddai wedi bod yn bosibl i chi gael swydd yn nes.

– Basa, petawn i eisio.

– Ond mi oeddech chi eisio . . .?

– Mi oeddan ni wedi penderfynu cael teulu.

– A roeddech chi ac – Alun?

– Arun.

– Arun, mae'n ddrwg gen i – yn gytûn mai chi oedd yn mynd i aros adre i fagu'r plant?

– Oeddan. Mi wyddai'r ddau ohonon ni pa mor uchelgeisiol ydi o, ac yn benderfynol o gael ei benodi'n gonsyltant cyn y bydd o'n bymtheg ar hugain.

– Faint ydi o rŵan?

– Tri deg pedwar.

– Blwyddyn i fynd, felly.

– Ia, a mi all 'i 'neud o hefyd, os pasith o'r Arholiadau Rhan Dau yn yr hydref, ac os bydd o'n lwcus yn trio am swydd wedyn. Ac mi ddylai basio, dydi o byth yn methu dim, heb sôn am yr holl lonydd mae o wedi'i gael oddi wrthon ni ers pan gafodd o'r fflat 'na.

Nodiodd Hannah ei phen yn feddylgar.

– Dyna pam, felly, y mae'ch gŵr yn hanner byw yn y fflat yma?

– O ia, dyna oedd y rheswm dros ei gymryd o gin ei ffrind pan aeth hwnnw dramor am flwyddyn. Ond roedd hynny cyn i ni gael y ffrae ofnadwy ar ôl y Dolig.

– Mae'n ddrwg gen i, Ilid, mi fydd yn rhaid i mi'ch stopio chi'n fan'na. Ella y medrwn ni gychwyn yn y man yma'r tro nesa.

*　　*　　*

Nid oedd Ilid wedi cael sôn am Arun, unwaith eto. Wrth adael bob tro, roedd hi'n meddwl fod agenda'r sesiwn nesaf ganddi yn barod. Ond pwyllgor rhyfelgar iawn oedd ei meddwl hi, ac erbyn y tro nesaf byddai sefyllfa wahanol, rhyw greisis dyddiol, wedi gwthio aelod arall i'r brig i weiddi am ei sylw. Mi ddôi ei dro, meddai wrthi ei hun gan ddatgloi'r car. Roedd yn rhaid iddo ddod.

8

– 'Di rheinia ddim yn ddillad clŷb, a deud y lleia.

Syllodd Shama ar ei sgidiau call, sodlau isel a'i ffrog gwta, flodeuog.

– Anghofiais i bob dim am fynd allan heno. Fydda i *byth* yn gwisgo'r ffrog yma, m'ond o dan fy nghot waith. Dyna i be ma' hi'n da, i gael ei chuddio.

– Paradocs y ferch Foslemaidd yn y byd modern.

Chwarddodd Shama.

– Falla wir, ond 'di hynny fawr o help i mi solfio'r broblem.

– Mae'r diagnosis cywir yn fwy na hanner ffordd i fendio'r clefyd, doctor.

– Heblaw, wrth gwrs, pan mae'r diagnosis yn un anobeithiol.

– Hm. Well i ni gysidro'r posibiliadau, os ydan ni am gyrraedd rwla heno.

Crychodd Leila ei thalcen.

– Pwy sy ar y shifft nos? Rochelle? Mi allet ofyn oes gynni hi rwbath gei di fenthyg. Neu mi fedrwn ni bicio i dy fflat di neu f'un i i ti gael newid.

– Na, ma' hi'n hwyr yn barod, mi gollwn amser. Aha! Aros di, ma' gin i well syniad. Mi fedrwn i bicio i fflat Sarwar – ti'n gwbod, lle mae Arun Kataria'n aros rŵan. Mi adewais i fagiad o ddillad yno ryw bythefnos yn ôl, a dwi'n . . .

– Bagiad o ddillad, ia! S'gin ti'm rwbath i gyffesu i mi?

Roedd y ddwy erbyn hyn yn cerdded i lawr y coridor llydan, gwag a ymestynnai'n bell o'u blaenau. Atseiniai sŵn sodlau uchel Leila.

– Dim byd. Mwya'r piti. Wel, mi ges i bryd o fwyd yno rhwng shiffts ryw gyda'r nos – dyna sut gadewais i'r dillad. Ond mi oedd 'na griw ohonon ni – Kevin, Rochelle, Harry – dim jest ni'n dau.

– Wela i. Hei, be sy'n gneud i ti feddwl bydd o yno rŵan? Mae'n hwyr iawn i alw ar neb.

Roeddynt wedi cyrraedd lobi fawr y brif fynedfa, ac edrychodd y ddwy'n reddfol i fyny ar y cloc wrth fynd heibio. Pum munud ar hugain wedi un ar ddeg.

– Fydd o ddim wedi mynd adre at ei deulu, ar nos Wener fel hyn?

– Ella, atebodd Shama. Gawn ni weld.

Agorodd y drysau ohonynt eu hunain, a'u gollwng o awyrgylch glòs yr ysbyty i ysgafnder aer y nos. Clywid bỳs yn chwyrnu, cyrn yn canu.

– Shama. Wyt ti ddim yn mynd ar ôl Arun o ddifri, wyt ti?

– Pam lai?

– O, ti'n gwbod sut mae'r dynion priod 'ma, mwy o drafferth nag o werth.

Edrychodd Leila ar ei ffrind i drio asesu ei hymateb.

– Ia, ond mae o'n ddel. Dwi'n ei ffansïo fo ers y tro cynta welish i o. A ma' 'na rwbath rhyngddon ni. Sbarc.

– Ia, watsia di gael 'lectric sioc!

– Mynd ar dân, falla. Wyddost di ma' dyna 'di ystyr f'enw i, 'Shama'. Tân.

– Mm, fo fydd yn cael ei losgi felly.

– Ia wel, does neb yn gneud iddo fo roid ei fysedd yn y tân, nagoes? Does neb yn gneud iddo fo neud dim.

Roedd ei brest yn mynd i fyny ac i lawr yn gyflym. Edrychodd Leila arni mewn penbleth.

– Ond ma' gynno fo blant bach, mentrodd.

– Y plant, uffern! Yli, hyd yn oed os *neith* Arun adael ei wraig, mae'r plant yn byw efo'u mam, tydyn, a honno'n edrach ar eu hola nhw llawn amser? Mae eu cartre nhw'n saff, a maen nhw'n saff o sylw Arun hẹfyd, mi wn i gymaint â hynny. Fasa eu bywyda nhw ddim yn cael eu difetha'n rhacs ufflon, tasa fo'n mynd o'na i fyw.

– Wel, sut gwyddon . . .

– Be dwi'n ddeud ydi, neith o'm eu gadael nhw fel y

gadawodd Mam fy chwaer a finna, cerdded i mewn i'r afon dros ei phen. Dyna i chdi be 'di gadael – rhoi'r gora – ta ta! A dwi'n deud wrthat ti, Leila, dwi'm yn pasad boddi, na gadal i ddim fynd dros 'y mhen i chwaith. Dwi'n gwbod sut i nofio. A dwi 'di dysgu hefyd i beidio â bod ofn mynd ar ôl be dwi isio – be dwi angen.

Gwasgodd Leila fraich ei ffrind.

– Doedd gin i ddim syniad.

Stopiodd y ddwy ac edrych i fyny tua ffenestri'r fflat ar y llawr cyntaf. Roedd y stafell yn olau, a'r llenni heb eu tynnu.

*   *   *

Roedd Ilid wedi bod yn geffyl i Deio ers hanner awr. Dyma'r tro cyntaf iddyn nhw chwarae'r gêm ers hydoedd.

– Samiwel, tyd i'r stabal.

– Samiwel, byta'r gwair.

– Samiwel, dwi'n mynd i dy reidio di rŵan. Aros i mi nôl y petha.

Cropiodd o dan ei bol i fachu'r cyfrwy.

– Wyt ti isio afal, Samiwel?

– Wyt ti isio siwgr lwmp?

Roedd y llawr yn galed o dan ei phengliniau.

– Deio bach, mae'n rhaid i mi stopio rŵan. Dwi jest â llwgu.

– Ond ti 'di cal bwyd!

Roedd o'n gwenu arni.

– Ond 'di gwair ddim yn llenwi 'mol i a mi fydd Maia yn ôl o'i gwers nofio unrhyw funud, ar drengi eisio bwyd.

Caledodd ei hun yn erbyn y brotest. Fel yna roedd y gêm yn gorffen bob tro – efo hi'n dianc, a dagrau.

– Ol-reit, Mam.

Canodd y ffôn, a rhedodd Deio i'w ateb. Safodd Ilid yn y drws, yn gwrando. Gobeithio nad oedd yna broblem efo danfon Maia'n ôl ar ôl y wers.

– Pêl. Ond ma' hi 'di byrstio ar y goedan rosod.

Un o'i ffrindia? Ei mam neu ei thad?

– Grêt! Ddoi di ag un arall i mi 'ta?

Wedi troi i 'ti', mae'n rhaid ei fod yn ei nabod o'n dda – O!

– Deio! Tudur sy 'na?

Nodiodd Deio ei ben.

– Mae o'n dŵad i tŷ ni, Mam! Efo pêl newydd i mi.

Pan gafodd Ilid afael ar y ffôn, cadarnhaodd ei brawd ei fod wedi cael ei wadd i roi darlith ar waith cynnar Hockney mewn cynhadledd yn y brifysgol.

– Meddwl baswn i'n aros am 'chydig o wythnosa, mynd i fyny i weld y teulu.

– Wel ia, siŵr, dos, anogodd yn chwaer fawr i gyd, er fod ei chalon hi'n cael ei throi fel crempog wrth feddwl am Tudur a'i mam.

– Ydi hynny'n iawn, yndi?

– Be?

– Aros efo chi, 'tê, yr het. Ti'n cwyno na fydda i byth yn ffonio a rŵan ti'n gwrando dim arna i.

– Yndi, wrth gwrs, lle arall fasat ti'n aros?

– O, ma' gin i un ne ddau o ffrindia tua'r Llundain 'na, 'sti. Ffrindia gwaith i Paul a finna.

Cytunodd Ilid i'w gyfarfod yn Heathrow am chwech y dydd Sul canlynol. Âi â'r plant efo hi. Os caent gyfle, aent i fyny i'r llwyfan gwylio i weld yr awyrennau'n gadael a glanio.

Ar y ffordd i'r gegin meddyliodd nad oedd ei Gymraeg wedi newid dim. Dim smic o America yn ei oslef na'i eiriau. Ond beth amdano fo?

*　　　*　　　*

Petai hi'n symud y mŵg Guto Gwningen yna i'r gwaelod, byddai ganddi ddigon o le i roi'r gwydr gwin i fewn. Agorai hi botel heno? Doedd o ddim yn beth braf, agor potel win iddi hi ei hun. Anaml y medrai ymlacio digon i'w fwynhau. Roedd hi'n haws os byddai hi wedi blino'n gorfforol. Arhosodd am eiliad yn y gwaith o stwffio cyllyll a ffyrc i boced y peiriant golchi llestri. Cwta flwyddyn yn ôl, mi oedd hi bob amser wedi blino. Doedd cyrraedd adref o'r ysgol wedi ymlâdd ar ôl diwrnod o ddysgu yn ddim byd o'i gymharu â'r blinder o gadw Maia a Deio'n ddiddig o fore gwyn tan nos ac wedyn trwy'r nos. O'r diwedd roeddynt yn cysgu'n well, a hithau ddim yn gorfod crwydro o un gwely i'r llall efo diodydd a chlytiau.

Caeodd ddrws y peiriant a throi'r dwrn. Dechreuodd honno rwnian yn ufudd. Rhedodd y tap i gael dŵr poeth a gwlychu'r cadach. Slemp go dda ar wyneb y bwrdd crwn. Cododd y felin bupur a'r un halen a glanhau oddi tanynt, gan hel y gronynnau halen i gledr ei llaw. Tagodd yr ysfa i'w taflu dros ei hysgwydd, a hithau newydd sgubo a golchi'r llawr pnawn 'ma. Roedd yn rhaid cael trefn yn rhywle yn y tŷ. Yma yn y gegin/ystafell fwyta, yn y lolfa fechan, yn ei llofft fach ei hun ac i ryw raddfa yn llofft y plant y câi hi hynny.

Doedd ganddi ddim rheolaeth dros y stafell ffrynt fawr, na'r stydi, y llofft wag nac erbyn hyn y llofft yr arferai ei rhannu efo Arun. Ei bethau fo oedd yno ar hyd y lle. Roedd o'n dŷ mor fawr. Roedd hi wedi cael ei swyno gan ei faint o'r dechrau, y stafelloedd mawr agored efo'u nenfwd uchel. Roedd yna aceri o wlad tu fewn i'r tŷ yma. Gwyddai fod ei botensial yn apelio at Arun hefyd. Ond dewisodd y ddau ohonynt beidio â chysidro o ddifrif faint o amser a phres a gymerai'r tŷ i'w adnewyddu. A doedden nhw ddim yn bobol a hoffai fyw yng nghanol blerwch, efo pethau ar eu hanner.

– Mam!

Dringodd i fyny'r grisiau i ddweud un 'Nos dawch' eto. Rhedodd ei llaw yn ysgafn i fyny'r canllaw grisiau. Mi wnaeth Arun job dda o lyfnu hwnnw a rhoi farnais arno, yn y misoedd cynnar. Cyn i Deio gyrraedd, a drysu eu planiau. Doedd o ddim i fod ar y trac hwnnw; roedd o wedi llamu yno o'r dyfodol a gwneud iddynt grensian ar y graean a stopio'n stond, fel un o gerbydau Tomos y Tanc yn un o'u damweiniau cyson. A phwy roddodd y golau gwyrdd iddo?

*   *   *

– 'Nath Miss ofyn i ni be ydan ni'n lecio 'neud fwya un.

– A be ddeudist ti? Gad i mi weld ydw i'n iawn.

– Mynd ar fy swing.

– Ia, o'n i'n ama.

– A chwara efo 'nolia.

– Ia, mi faswn inna'n deud hynny. A be oedd y trydydd peth? Gneud llunia?

– Na . . . 'swn i wedi *medru* deud hynny, achos dwi'n lecio gneud llunia.

– Gest ti'r bathodyn yna am wneud llun cwch . . .

– Llong. Do, ond be ddeudis i oedd meddwl.

– Meddwl?

– Ia. Fydda i byth, byth yn stopio meddwl.

Er gwaetha'r ffaith ei bod hi'n tynnu allan i ganol traffig ar y pryd, trodd Ilid ei phen i edrych ar ei merch yng nghefn y car. Edrychai hithau'n syth o'i blaen, yn llawn o'i darganfyddiad.

– Na finna chwaith, ychwanegodd ei mam yn ddistaw.

Y pnawn hwnnw roedd hi wedi bod yn glanhau'r ffenestri Ffrengig, ar yr ochr fewn. Bu wrthi'n crafu'r brychni saim efo un clwt, ac wedyn rhwbio'n ddyfal efo'r llall nes bod y darn gwydr yn ddifrycheulyd.

Pwy oedd yn ddifrycheulyd? Y Forwyn Fair, mae'n debyg. Morwyn, hynny yw, gwyryf. Roedd hi'n mynd i briodi Joseff; ond yn ffodus ni fu raid iddi ei dwyllo fo, gan i'r angel ymweld ag yntau hefyd ac egluro'r sefyllfa. Cafodd Mair sbario rhoi'r peth yn ei geiriau ei hun. Cwcw'r Ysbryd Glân, dyna be oedd Crist. Heb ei wadd, gan ei fam o leiaf. Y Tad oedd wedi cynllunio'r cwbwl.

Yn hollol groes fu pethau efo hi. Hi'n cynllunio, Arun yn ddiarwybod. Wel, os oedd o hefyd. Wedi'r cwbwl, mi oeddyn nhw wedi gwneud cynlluniau efo'i gilydd. Magu teulu: teulu, dim un cyw, ond dau o leia i lenwi'r nyth. Y nyth anferth yma. Hithau i roi'r gore i'w swydd, dros dro o leiaf, i roi chwarae teg iddyn nhw. Ac Arun yn cynnal y cyfan yn rhinwedd ei swydd fel *registrar*, efo'i gyflog sylweddol. Tyfai i fod yn fwy sylweddol fyth ar ôl iddo gael ei ddyrchafu'n ymgynghorydd. A chan ei bod hi adre, medrai yntau ganolbwyntio ar ei yrfa.

Gwnâi ei braich siâp bwa, neu enfys, wrth gaboli'n ddyfal.

Y fo oedd eisiau newid pethau!

– A deud y gwir, dwi'n hapus iawn efo Maia. I be awn ni drwy'r holl fusnes efo clytiau a chrio eto, a hithau wedi dod mor dda?

Neu:

– Beth am aros am dipyn?

– Am faint? Mi ydw i'n dri deg dau.

– Wel. Nes bydd hi yn yr ysgol, falla.

– Ond mi fasa'n well gin i orffen efo'r cwbwl efo'i gilydd. Dyna be ddeudon ni.

– Ia, dwi'n gwbod, Ilid, dyna be ddeudon ni.

Mi aeth i ben draw'r ardd a thynnu'r hen sièd i lawr a thorri'r gelynnen nes ei bod hi'n ddim mwy na llwyn.

– Ma-am! Ma'r dyn yna'n codi'i ddwrn arnat ti!

– Wel, y diawl gwirion, 'di o'm i fod i droi rownd ynghanol lôn brysur fel hon.

– Mam, paid â rhegi! Ti'n codi cwilydd arna i.

Chwarddodd Ilid.

– 'Dan ni bron â chyrraedd. Weli di'r awyrennau'n dod i lawr? Ydi Deio'n dal i gysgu yn y cefn 'na?

– Ydi. Cysgu'n sownd.

– O diar. Gawn ni drafferth ar y naw i'w ddeffro fo, fel arfar.

Edrychodd y ddwy ar ei gilydd.

– Blydi niwsans, meddai Maia.

– Maia!

*   *   *

Roedd Tudur am fynd â'r plant i hedfan barcud ar y rhos. Wel, gan nad oedd ganddyn nhw farcud, y cam cyntaf oedd mynd i brynu un i'r siop deganau yn Blackheath.

– Geith o fod yn bresant iddyn nhw. Wrthi'n sbio ar ryw ddolia yn y siop *duty-free* o'n i pan alwon nhw f'enw i ar y tanoi.

– 'Sa'n well gin i ddol na barcud, sibrydodd Maia'n uchel wrth Ilid wrth iddi dywallt y te.

– Mi fydd barcud yn hwyl.

– Na fydd o ddim.

Ochneidiodd Ilid a chario'r ddau fŵg at y bwrdd. Wrth osod un o flaen Tudur, cofiodd ei fod yn hoff o gwpan a soser.

– Aros, mi 'stynna i gwpan i ti.

– Paid â thrafferthu, Ilid, ma' hwn yn iawn.

Ond roedd Ilid eisoes wedi agor drws y cwpwrdd llestri gwydr ac estyn cwpan a soser ddélicet a phatrwm glas golau ac arian arnynt.

– Presant priodas gan Anti Nansi. Fydda i byth yn cael cyfle i'w hiwsio nhw.

Cyn iddi fedru cael gafael ar glust y tebot i dywallt y te ohono i'r cwpan roedd Deio yno o'i blaen hi.

– Mi wna i o.

– Na 'nei wir, Deio bach, ma' hwnna'n de berwedig.

Ond gwylio'n ddiymadferth a wnaeth wrth i Deio arllwys y te, a hwnnw'n llifo'n flêr dros ochor y mŵg.

– Fedar o ddim gneud yn iawn! *Dwi*'n gwbod sut i 'neud. 'Dan ni'n gneud petha fel'na yn y wers wyddoniaeth. Mam, ga *i* 'neud?

– Aw! Mae o'n boeth!

– Rho fo i lawr, Deio.

– Dwi jest â gorffen.

Trodd at Tudur a gwenu'n fuddugoliaethus.

– Dyma chdi, Tudur.

– 'Di o ddim yn deg! Dwi'n chwech oed – a dim ond pedair ydi o – a mae o'n cael gneud bob dim mae o isio! A dol o'n i isio, dim hen farcud gwirion!

Rhedodd Maia allan o'r stafell a stompio i fyny'r grisiau gan grio'n swnllyd.

– Sut i ddifetha brecwast, meddai Ilid.

– Mae Maia'n difetha popeth, dydi Mam?

– Wel, dim popeth.

– Dyna fyddi di'n ddeud. Awn ni i brynu'r barcud ar ôl brecwast, ia, Tudur?

*   *   *

Wrth groesi'r rhostir at Tudur a'r plant, a sbio i fyny ar y barcutiaid yn fflitian uwchben, sylweddolodd Ilid na fyddai'n gwybod lliw na llun y barcud newydd. Syllodd ar bâr o rai glas yn mynd trwy eu hantics; wrth droi yn ôl am i fyny dangosent eu boliau gwynion. Fel bob amser bron, chwythai'r gwynt yn gryf ar draws y tir uchel, agored hwn lle roedd y werin bobol wedi ymgasglu i gyfarfod y brenin adeg y gwrthryfel.

Ymhen hir a hwyr daeth ar eu traws, Tudur a Deio'n penlinio dros y rhaffau'n trio eu dadblethu, a Maia ychydig ymhellach yn gafael yn gariadus mewn rhywbeth sidanaidd piws a glas a'r gwynt yn peri iddo grynu bob hyn a hyn.

– Ydi o'n barod? gofynnodd i'w brawd.

– Dim cweit.

Aeth draw at Maia.

– 'Di o jest yn barod, Mam? Dwi'n disgwl ers . . .

Cipiodd y gwynt ei geiriau.

– Dim cweit, meddai Tudur.

– Be?

– DIM CWEIT. Fydd o ddim yn hir, cariad.

– Mae o *wedi* bod yn hir.

– Mae'n job reit ddyrys, cael y rhaffau'n rhydd, 'sti.

Aeth draw at y bechgyn a gwelodd ei bod wedi dweud mwy o wir nag a sylweddolai. Roedd llinynnau'r barcud wedi drysu'n waeth na rhai'r mobeil hwyaid yna oedd gan Maia uwchben ei chot erstalwm, a gymerodd hanner awr iddi ddatrys ryw bnawn, gan weu i fewn ac allan yn ddyfal. Gwyliodd fysedd ei brawd yn llithro rhwng cortynnau gwydn y barcud, a synnodd at ei fedrusrwydd.

– Dyna'r tro cynta i ti 'neud hyn, Tudur?

Ysgydwodd ei ben.

– Ma' gynnon ni un.

– Ma' gin Tudur a Paul un mawr fath â rheinia.

Amneidiodd Deio tuag at farcud ar ffurf bwa dwbl oedd wrthi'n plymio uwch eu pennau.

– Ond ma' hwn yn well i ni i ddechra.

Edrychodd Ilid i lawr a chael y wefr o weld y llinynnau'n gwahanu'n bedair stribed unionsyth yn arwain at bedair cornel y barcud.

– O, da iawn chi!

– Ilid, helpa di Deio i gadw rhain yn syth.

Llamodd Tudur ar ei draed a brasgamu at Maia. Cyrcydodd wrth ei hymyl, a gwelodd Ilid ef yn symud ongl y barcud ym mreichiau Maia wrth barhau i siarad yn ddyfal. Roedd golwg astud ar ei hwyneb hithau, a'r gwynt yn chwythu ambell gyrlan ar draws ei boch. Daeth Tudur yn ôl atynt.

– Rŵan, Deio, cym' di un handlan ym mhob llaw.

Ufuddhaodd Deio.

– Wyt ti'n cofio sut o'n i'n dal ar y llinynnau efo'n llaw dde?

Nodiodd Deio ei ben yn frwd.

– Reit. Cod di ar dy draed, a bydd di'n barod i dynnu ar y llinynnau cyn gynted ag y bydd Maia'n gollwng y barcud. Iawn?

O Iesgob, meddyliodd Ilid, mi fydd hi'n wyrth os gwneith hyn weithio. Mi eith y cwbwl i'r gwellt, ac wedyn mi wnaiff Tudur chwythu'i blwc efo'r plant.

Ar ôl iddi wylio'r barcud yn cael ei ollwng ac yn syrthio i'r llawr fel aderyn wedi'i glwyfo sawl gwaith, a gwrando ar gyfarwyddiadau Tudur, ei weld yn ystumio symudiad, yn gosod braich, rhoddodd y gorau i feddwl am wyrth. Aeth y plant trwy'r symudiadau drosodd a throsodd, Maia'n cychwyn rhedeg a Deio'n tynnu ar y rhaffau, a Tudur yn gweiddi cyfarwyddiadau, yn union fel criw ffilm yn gorfod mynd dros olygfa anfoddhaol. Dechreuodd Ilid boeni am amynedd y plant: faint yn fwy fedren nhw bara? Pwy fuasai'n siomi pwy?

Whii!

Rhuthrodd y barcud i fyny ar lwybr y gwynt. Curodd Maia ei dwylo a dawnsio. Tynnai wrth ei angor yn y môr o las uwchben, a Deio'n syllu arno'n gegagored, yn llawn edmygedd.

*   *   *

Pam brynodd hi'r *Times Ed*, roedd hi'n anodd dweud. Roedd hi'n amser anobeithiol o'r flwyddyn i chwilio am swydd, ddiwedd Mehefin. Ta waeth, câi edrych drwyddo dros baned o goffi tra oedd Tudur yn darllen y papur. Roedd hi'n braf cael cwmni, dod yn ôl ar ôl bod yn danfon y plant i'r ysgol a gwybod fod yna rywun arall yn y tŷ. Roedd yr haul yn gynnes ar ei gwar wrth iddi ddilyn y llwybr ar ochor ddwyreiniol y rhos. Roedd yna eisoes, am chwarter wedi naw ar fore Llun, fflyd o farcutiaid yn tynnu wrth eu rhaffau uwchben. Hwyliodd geiriau Deio ar draws gorwelion ei meddwl.

– Ma' gin Tudur a Paul un mawr fath â rheina.

Roedd hi wedi clywed am Paul o'r blaen, wrth gwrs. Efo fo yr oedd Tudur yn rhannu tŷ yn Boston. Tŷ Paul oedd o. Arferai Tudur ac yntau weithio yn yr un adran o'r Brifysgol, Celfyddydau Cain, ond ers blwyddyn roedd Paul wedi gadael i fod yn gyfarwyddwr oriel fach ddethol yn Boston. Gwneud ffafr oedd o yn y dechrau, yn cynnig lle i Tudur fyw pan oedd hwnnw'n newydd ac yn nabod neb. Ond rŵan? Oedden nhw'n rhannu mwy na thŷ?

Arferai Tudur a hithau fod yn agos. Efo hi y siaradodd o cyn penderfynu 'mudo i'r Unol Daleithiau, a hi anogodd o i fynd. Efo nhw yr arhosai bob tro y deuai i Lundain. Ond y tro diwethaf, y llynedd, mi oedd o'n trefnu'r arddangosfa yna, a welson nhw fawr arno fo.

Wyddai hi'r nesa peth i ddim am fywyd ei brawd yn Boston, dyna be oedd wedi dod i'r golwg. Efallai nad oedd hi wedi dangos diddordeb, na holi, na dilyn y trywyddau cywir.

Agorodd y giât a rhoes honno ei hochenaid fach arferol. Wel, faint wyddai o am ei bywyd hithau? Y cwbwl roedd hi wedi'i ddweud oedd fod Arun yn aros llawer mewn fflat a berthynai i'w ffrind.

Cofiodd yn sydyn fod Sarwar wedi mynd i Tanzania ers bron i flwyddyn. Mi fyddai'n ôl ymhen faint – deufis, fan bella. Wedyn byddai dihangfa Arun yn diflannu. Datglodd y drws a chamodd i fewn, yn falch o'r cysgod.

– Tu-dur! Tu-dur! Dwi 'di prynu'r papur.

Rhaid ei fod o yn yr ardd. Aeth drwodd i'r gegin. Llenwodd y tecell yn fodlon. Yna gwelodd y nodyn.

'Wedi picio i lyfrgell y Courtaulds i wneud mymryn o ymchwil, cyn cyfarfod Gerry am ginio. Wela i chdi heno.'

* * *

Roedd Ilid yn ei gwely yn estyn am ei llyfr pan glywodd hi'r gloch. Mi anghofiodd roi goriad iddo! Rhedodd i lawr y ddau ris yn droednoeth.

– Sori. Oeddat ti'n cysgu?

– Newydd fynd i fyny. Gest ti noson dda?

– Go lew, 'sti. Oedd hi'n braf cerdded yn ôl ar draws yr *heath*.

– Dim barcud yno rŵan.

Roeddynt wedi dod trwodd i'r stafell fyw, Tudur yn arwain a hithau'n ei ddilyn yn lle mynd yn ei hôl i fyny'r grisiau.

– Choeliat ti ddim, ond mi *oedd* yna un, reit yn y pen pella, rhyw ddau wallgofddyn, wedi meddwi ma'n rhaid.

Meddyliai y byddai'n rhaid iddo eu disgrifio i Paul, y ddau silwét du ac aderyn y nos uwch eu pennau yn deifio'n osgeiddig. Y cysylltiad anweledig rhyngddo fo a'r dynion.

Teimlai Ilid ei choesau'n hirion ac yn noeth yn y

goban gwta. Ond eto doedd arni ddim eisiau troi ei chefn a dringo'r grisiau'n ôl i'w gwely.

– Gymri di un bach?

– Wel . . . Duw ia, pam lai.

Teimlai'n hapus wrth fynd tua'r gegin i gyrchu gwydrau. Chwarae teg, doedd hi ddim yn cael cyfle i gael sgwrs efo'i brawd yn aml iawn. Doedd hi ddim yn cael cyfle i gael sgwrs efo *neb* yn aml iawn. Gafaelodd mewn hen gardigan flêr a hongiai tu ôl i ddrws y gegin a'i rhoi tros ei hysgwyddau. Buasai gŵn gwisgo wedi bod yn well, ond doedd ganddi mo'r 'mynedd i fynd i fyny'r grisiau, rhag colli'r cyfle. Llenwodd jŵg bach â dŵr a rhoi'r cyfan ar hambwrdd. Ar y soffa roedd Tudur pan ddaeth hi i fewn.

– Mi ddois i â hwn – gosododd y dŵr a'r gwydrau ar y bwrdd bach – rhag ofn y basat ti awydd trio un o wisgis cry Arun. Ma' angen chwanegu dŵr i brofi eu blas nhw'n iawn.

– Ew.

Aeth at y dresel, mynd ar ei chwrcwd yn reit ofalus o'r goban, a'u hestyn o'r pen draw: y Tobermory, y Highland Park, y Glenmorangie, y Macallan, Caol Ila, Laphraig. Roedd y botel Cardhu bron yn wag.

– Does 'na ddim ond tropyn o hwn ar ôl, ond mae o'n stwff nerthol, cyn gryfed â – â stwff dosio defaid!

Gwnaeth y gymhariaeth i'r ddau ohonynt chwerthin.

– Ond bod o'n neisiach.

– Tyd â fo i mi 'ta, i ni gael rhoi clec iddo fo.

Tywalltodd Ilid yr hylif eurfrown i wydryn mawr a rhoi dŵr am ei ben. Tynnodd Tudur ei siaced ledr a chodi ei wydr. Gwelodd Ilid ei lygaid yn gloywi gan gymeradwyaeth.

– Tipyn o gic yn hwn!

– Ddeudis i n'do.

Tywalltodd beth i lawr ei gwddf ei hun a mwynhau'r cynhesrwydd.

– Col tar.

– Mawn.

– Rhedyn.

– Dŵr mynydd! Nant.

– y mynydd groyw loyw! Ia, ti'n iawn, ma' blas y dŵr yna.

– Lle cafodd o'r holl boteli 'ma?

– Arun?

Roedd hi'n rhyddhad cael dweud ei enw, fel gollwng rhech ar ôl dal gwynt i fewn am hir. Roedd hi'n fras heno.

– O'r Gymdeithas Chwisgi ma' rhein wedi dŵad, rhan fwya ohonyn nhw. Dwi'n 'i gofio fo'n ymuno'n fuan wedi i ni gyfarfod. Co' am Glasgow, medda fo. Fedra fo ddim 'i fforddio fo chwaith, ar y pryd.

Roedd hynny wedi apelio'n arbennig ati.

– Yn Glasgow gafodd o 'i hyfforddiant, ia? Sori, dwi'n gwbod y dylwn i wbod.

– Ia, y rhan ola. Mi oedd o wedi gneud y rhan gynta yn Delhi.

Nid rhyw lefnyn deunaw oed oedd o'n cyrraedd y wlad yma, ond dyn ifanc, wedi aeddfedu'n gynnar yng ngwres un o brif ysbytai New Delhi. Carai Arun bwysleisio hynny.

– Yn Delhi mae ei deulu o, 'tê?

– Ia, fan'no maen nhw.

Crychodd Tudur ei aeliau.

– Pam, lle ddylan nhw fod?

– O, d'wn i'm.

Roedd ei thraed yn oeri. Gafaelodd mewn clustog a'i gosod drostynt. Roedd golwg ddigri arnynt.

– 'Dan ni wedi gwadd a gwadd ei fam a'i chwiorydd yma. Yn enwedig ei fam. Dyna oedd un rheswm dros brynu tŷ mawr, iddyn nhw – roedd ei dad o'n fyw r'adeg hynny – gael dod i aros. I weld eu hwyrion.

– Ydi hi mewn tipyn o oed?

– Dim yn arbennig – canol ei chwedegau. Fengach na'n rhieni ni.

– A sut siâp sy arnyn nhw?

Roedd y sgwrs wedi symud ei thir, ond nid oedd hi'n gwarafun hynny; câi ei throi'n ôl eto pe mynnai.

– O, go lew. Maen nhw newydd fod yma, wyddat ti? Maen nhw'n troi yn eu byd bach eu hunain, dyna be ddeudwn i. Es i allan am bryd o fwyd efo Dad, meddwl y cawn gyfle am sgwrs a thipyn o afael ynddi, a be gesh i wrth gwrs oedd ei hanesion o ar y môr erstalwm.

– Y chwant pysgod?

– A'r mynydd iâ.

– 'Sti be, Ilid, dwi'n gwbod rŵan 'mod i wedi bod o 'ma ers lot, ma' gin i hiraeth am 'u clywad nhw eto.

– Be, chwant pysgod arnat ti?

Chwarddodd y ddau.

– Ddoth Mam ddim efo chi?

– Naddo. Hi oedd yn gwarchod – a dydi hi ddim yn mwynhau mynd allan, beth bynnag, dim fath â mae o.

– Be *mae* hi'n fwynhau?

Cododd Ilid ei hysgwyddau.

– Roedd hi mewn bydau efo'r ardd. Rhyw blanhigion. Wsti lle aethon ni efo'n gilydd? Y ganolfan arddio. Dim i barc nag arddangosfa, na theatr na chaffi, ond siop floda.

– *Fydda* hi ddim yn garddio fawr.

– A'r plant yn chwara ymysg rhyw anifeiliaid marmor gwerthfawr oedd ganddyn nhw. Ydi mae hi, Tudur. Mae hi'n garddio ers blynyddoedd. Mi afaelodd ynddi o ddifri ar ôl tynnu'r cytia moch i lawr, a chael gneud yr ardd yn fwy. Welis di mo hynny?

Doedd bosib nad oedd o wedi bod ym Mryn Hudol ers cynifer o flynyddoedd.

– Mi ddechreuodd Mam arddio o ddifri, meddai Ilid, ar ôl i ti fynd.

Newydd weld hyn yr oedd hi.

– O. Wel, fi oedd bach y nyth, ar ôl hynny roedd gynni hi'r amsar.

– Oedd, ond mi oedd o fel rhyw haenan o baent yn cael ei roi drosti. Chdi'n mynd. Cot o baent trwm yn gorchuddio popeth oedd wedi bod cynt.

– Dros *be* oedd wedi bod?

– Be wn i? Ti'n gwbod, ti 'di gweld hen ddrysa, do, ac mewn ambell i le lle mae'r paent wedi cael sgriffiad mae 'na sawl lliw arall i'w weld.

– Mm. *Fawn*. Roedd o ar bob drws ym Mryn Hudol pan o'n i'n tyfu i fyny.

– Lliw myshrwm sŵp. Y chwedega.

– Yng Nghymru, ia. Gwyrdd mwsog.

– Brown festri capal.

– Ych a fi! Melyn briallu.

– Du, erstalwm. Paent cras.

– Gwyn ar ben y cwbwl, lliw dim byd, lliw heddiw.

– Wel.

Cymerodd Tudur ddracht mawr o'i wisgi.

– Ti'n meddwl y dylan ni grafu i gael gweld be sy o dan y cwbwl?

Llymeitiodd Ilid ei Macallan; blasodd y sieri ynddo.

– Crafu? Mi gymrith oesoedd.

Ond cofiodd am Hannah, crafu'r gacen gafodd ei llosgi.

– Hm, ti'n iawn. Bàth asid, dyna maen nhw'n ddefnyddio i stripio drysa, yndê?

– Dwyt ti rioed yn sôn am stripio Mam?

Edrychodd y ddau ar ei gilydd, wedi cyffroi, edrychiad rhwng chwerthin a dychryn.

– Dyma i ti beth arall, meddai Tudur. Be sy o dan yr holl baent 'na? Ella fod y pren wedi pydru, ne'n hen beth sâl.

Ysgydwodd Ilid ei phen.

– O, dwi ddim yn meddwl. Gei di weld, pren pin da, neu dderw hyd yn oed.

– Gawn ni weld, cawn? Wyt ti am fynd ati i ffendio allan?

Cnodd Ilid ei hewin yn ffyrnig. Dyma'i chyfle i sôn wrtho am Hannah – rhannu'r wybodaeth, yn nhafodiaith cwnsela. Wyddai hi ddim be fyddai agwedd ei brawd at therapi. Ond mi roedd o'n byw yn yr Unol Daleithiau, canolfan therapi yn ôl y sôn.

– Sôn am hynny . . .

Dylyfodd Tudur ei ên.

– Dwi am ei throi hi.

Aeth y foment yn fflat fel un o *chapattis* Arun ar ôl ei thynnu o'r fflam. Roedd o'n paratoi i godi, ei ddwylo ar ei benggliniau.

– Gin i ddiwrnod hir o 'mlaen fory, isio mynd i lawr i Kent.

Biti na fuasai Ilid yn holi tipyn bach am ei drip i Kent. Roedd o'n mynd i ddanfon llun i rieni Paul, anrheg pen-blwydd priodas. Yr esgus oedd y byddai'r llun yn rhy fregus a drud i'w anfon. Wrth gwrs, buasai hynny'n wir am bawb heblaw cyfarwyddwr galeri oedd yn trefnu i lu o luniau a phethau cain gael eu cludo o wlad i wlad ar amrantiad. Ella ei fod o wedi colli cyfle ar y rhos y bore 'ma, ond wedyn doedd o mo'r lle na'r amser rywsut.

– Iawn. Mi wela i chdi yn y bora.

Edrychodd i fyny arno, ond dim ond am eiliad. Y peth olaf welodd Tudur trwy wydr y drws oedd y glustog oedd ar draed ei chwaer yn cael ei chicio i'r awyr.

*　　*　　*

– Mi ddylat ti fynd, meddai Arun.

　– Mynd?

　– Mi ddylwn i 'neud i ti fynd.

　– Gwna i mi ddŵad.

Aeth y wefr drwyddo, trwy bob math o gyhyrau a blew a gwythiennau, gan eu stwyrian a'u codi'n benstiff. Roedd ei ffrog mor hyfryd o gwta, fel bod un symudiad bach yn dangos ei chlun neu'r patsh o nicyr gwyn rhwng ei choesau. Roedd arno eisiau ei chodi a sbio'n haerllug i fyny tuag at ei bol a'i bronnau. Roedd ganddo awydd dweud hynny wrthi, ond gwyddai na fyddai gobaith iddo wedyn.

　– Dwi isio codi dy sgert di.

Be ddiawl oedd ar ei ben o?

Ffrog Shama. Roedd hi wedi codi ar ei thraed fel bod hem y ffrog yn crynu wrth ei drwyn. I'w chael dros ei ben bu raid iddo ei chodi â'i fysedd. Dechreuodd ddilyn

llwybr â'i dafod i fyny ei chlun, a'r llen o sidan coch
wedi syrthio drosto.

*　　*　　*

Tywalltodd Ilid un bach i fynd i fyny efo hi. Mi oedd
o'n foi smart, pryd tywyll – ond llygaid glas, wrth gwrs
– rhywbeth reit Wyddelig yn hynna; medrai gofio pobol
yn pryfocio'i mam a'i thad erstalwm, am nad oedd yna
neb arall â llygaid glas yn y teulu. 'Sgwyddau llydan.
Hynod o smart o gysidro peth mor bitw, melynaidd ei
wedd, oedd o pan oedd o'n fach.
  – Watsiwch chi, clywai Mam yn dweud, mi fydd y
genod ar ôl y llygaid glas 'na ar ôl iddo dyfu i fyny.
  Hi oedd wedi sylwi fod ganddo allu i wneud lluniau
hefyd, wrth iddi dreulio cymaint o amser efo fo yn yr
ysbyty. Dim ond ei lunia fo fyddai ar y wal yn y pantri
ganddi.
  Cofiai un yn iawn, llun coeden Nadolig a phlant o'i
chwmpas yn canu. Mam wedi sgwennu ar ei waelod,
'Coeden Nadolig', gan Tudur Gruffudd Parri, a'r
dyddiad. Tybed a oedd Tudur yn dal i beintio neu
ddarlunio ar ei liwt ei hun? Oedd ganddo amser efo'i
swydd brysur yn y brifysgol? Tybed a oedd ei Mam yn
siomedig nad oedd o wedi gwneud enw iddo'i hun fel
artist, er na ddywedodd hi erioed air am y peth? Oedd ei
Mam yn meddwl am bethau fel hyn wrth blannu'r bylbs
daffodil a thocio'r bwdlia? Yn meddwl am y genod na
ddaethant i'r golwg?
  Buasai hi wedi eitha lecio sws nos dawch gan ei
brawd. Damia, buasai unrhyw ferch yn ei gael yn
ddeniadol. Roedd hi wedi sylwi ar yr olwg yn llygaid

Frances drws nesa pan gawsant sgwrs dros y ffens ddoe. Roedd hi'n bownd o ofyn mwy o'i hanes pan welai hi nesa.

Ymlusgodd i fyny'r grisiau. Gwell gwneud yn siŵr fod y cwilt dros Deio. Gorweddai hwnnw ar ei gefn a'i goesau ar led, a chwilt o gwmpas ei draed a'i fwnci ar lawr. Gosododd Ilid Mwncs o dan ei gesail a thaenodd y cwilt drosto. Sbeciodd ar Maia, mewn coban laes hyd yn oed ynghanol yr haf. Roedd ei phen ar un ochor a'i boch yn hanner crwn hyfryd ar y gobennydd.

Ar ben y grisiau daeth wyneb yn wyneb â Tudur.

– Ma'r stafell molchi'n rhydd.

Swniai fel ymwelydd, neu ffrind heb fod yn agos iawn, yn aros am y tro cyntaf.

– Fydda i ddim o gwmpas bore fory, dwi'n mynd yn syth at Hannah ar ôl danfon y plant i'r ysgol.

– O . . . iawn.

– Dim ffrind ydi Hannah, hi ydi fy therapist i.

– O, wela i.

Safai'r ddau ar y landin, Tudur a'i law ar ddwrn y llofft ffrynt ac Ilid ar ganol cam i gyfeiriad y stafell ymolchi.

– Ma' Paul yn mynd i weld rhywun, hefyd. Therapist, 'lly. Does 'na ddim gair Cymraeg?

Cysidrodd Ilid.

– Seic . . . dwi'n meddwl i mi weld seicdreiddiwr mewn rhyw erthygl . . . Seicdreiddwraig sy gin i felly.

– Ma' Paul yn deud na fedrai o ddim bod heb ei un o. Yn rhyfedd iawn, dynes ydi hitha.

– Yn rhyfedd?

– Wel, ti'n gwbod . . . a fynta'n lecio dynion.

– Ydi o?

– Mae o'n fy lecio fi, Ilid.

– O.

Teimlai fel petai wedi gweld pêl yn dod tuag ati trwy'r awyr ac wedi camu ymlaen a'i dal, a phwysau annisgwyl arni yn ei dwylo.

– Wyt ti'n ei lecio fo?

– Ydw. 'Dan ni efo'n gilydd ers tair blynadd, bron.

– Tair blynadd! Ond ddeudist ti –

– Ddim. Dwi'n gwbod. Ond y tro yma . . .

– Ddeudi di adra?

– Dwn i ddim. Mi dria i.

– Beth am deulu Paul, ydyn nhw'n gwbod?

– 'Dan ni ddim yn siŵr. Tydyn nhw heb ddweud dim.

– Nag yntau.

– Nag yntau. Ond dwi'n mynd i'w cwfwr nhw fory. Efo'r presant pen-blwydd priodas. O Ilid, 'sat ti 'mond yn gwbod pa mor hir fuon ni'n trafod a ddylen ni roi 'oddi wrth Paul a Tudur' ar y cerdyn, ynte dim ond Paul.

– A be roesoch chi yn y diwedd?

– 'Llawer o gariad ar eich priodas arian.'

Gwenodd y ddau ar ei gilydd.

– Ond dwi ar y blaen rŵan. Dwi wedi deud wrthat ti.

– Mae'n siŵr bod yna le i roi llofnod neu ddau.

– Ac mi fedrwn i ddynwared ei lofnod, dim problem. Ond i be, Ilid? Rhyngddo fo a nhw.

– Rhyngdda chdi a'n rhai ninna!

– Ia, yn union. Tyd â sws i mi, Ilid.

Ond y fo gusanodd hi, ei law yn gynnes ar ei hysgwydd a'i ddarpar-farf yn cosi-crafu ei boch.

– Nos dawch.

– Nos dawch.

Roedd ei osgo mor ysgafn wrth droi am ei lofft fel na fuasai Ilid ddim wedi synnu ei glywed yn chwibanu.

Aeth Ilid i fyny'r grisiau i'w gwely ei hun ac wedi methu darllen trodd y golau i ffwrdd a breuddwydiodd am Tudur a Paul, un ar bob ochor, yn plethu eu breichiau trwy ei rhai hi.

– Ma'n rhaid i mi fynd i weld Hannah, meddai wrthynt. Ma'r gloch wedi canu.

Deffrodd. Yng nghanol clir y nos, a chwys y chwisgi wedi sychu ar ei thalcen, gwelodd ei bod yn ffansïo ei brawd, yn caru ei mab yn fwy na neb, ac yn colli Arun.

9

– Twyll, meddai Hannah. Eisteddai'n bropor a chefnsyth ar ei chadair, a'i choesau wedi eu croesi. Rhythodd Ilid arni.

– Wnes i ddim meddwl amdano fel'na.

– Falla, ond dyna be oedd o. Twyll go gyffredin; mae yna lot o ferched yn gwneud yr un peth, i mi fod yn gwybod.

Fflamiodd wyneb Ilid. Y hi'n gwneud rhywbeth mor hyll â thwyllo'i gŵr, a hynny'n beth cyffredin.

– Ond mi oedd *o* yno! Wnes i ddim caru ar fy mhen fy hun, naddo, er basa hynny wedi bod yn well mae'n siŵr. Welodd o ddim deiaffram, iwsiodd o ddim condom! Mi wyddai nad oeddwn i ddim ar y bilsen.

– Hm, meddai Hannah, a theimlai Ilid ei hunan-gyfiawnder yn chwyddo – ond mae yna adega saff, neu saffach na'i gilydd, beth bynnag. Mi wyddoch hynny.

Gwyddai.

– Ond mi faswn i wedi deud, 'Mae'n saff'.

– Petai hi'n saff?

– Ia.

Gwyddai'n berffaith ei fod yn odidog o beryglus.

– Ddywedoch chi ddim byd felly?

– Ond doedd dim sicrwydd y deuai dim o'r peth.

– Does yna ddim sicrwydd y cewch chi eich brathu gan neidr os ewch chi i fewn i'w chaets. Ond pwy fuasai eisiau trio?

– Dwi ddim yn siŵr a fedra i dderbyn y gyffelybiaeth yna, Hannah. Dydi hi ddim yn ffitio o gwbwl – sut mae mynd i gaets neidr yn debyg i genhedlu plentyn?

– Dw i ddim yn hollol siŵr, cyfaddefodd Hannah; rhyw reddf . . . tybed a fyddai gan Arun syniad go lew?

*   *   *

– Gadewch i ni ddod yn ôl at y dechrau. Rydych chi'n colli Arun.

– Ydw. Dyna be deimlais i neithiwr. Dim jest bod acw le gwag ar ei ôl, ond 'mod i'n hiraethu amdano. A dim am gael amser da efo'n gilydd dwi'n sôn, chwaith, ond rhywbeth arall.

Y teimlad braf fyddai rhyngddynt ar eu pennau eu hunain, y naill yn porthi sgwrs y llall; ambell olygfa fach ffres o'r gorffennol yn cael ei datgelu. Stwff hyblyg, gwydn eu trafodaethau a'u dadlau, yn ymestyn a newid ei siâp wrth iddynt siarad.

– Ond fel 'na *fu* hi. 'Di hi ddim fel 'na ers dros flwyddyn rŵan.

– Fedrwch chi ailagor y ddeialog?

Oedodd Ilid.

– Achos mi fydd raid i chi, os ydych chi am achub eich priodas.

Synnai at Hannah yn defnyddio ymadrodd hen-ffasiwn fel 'achub eich priodas'. Ac eto mi weithiodd: mi oedd wedi rhoi cic iddi.

– A beth am eich brawd?

Roedd hi fel bargyfreithiwr, yn delio â'r naill achos ar ôl y llall ac yn rhoi terfyn sydyn arnynt.

– Y prif beth, mae'n siŵr, ydi fod o newydd ddweud wrtha i 'i fod o'n hoyw.

– Do?

Dangosodd ei llais a'i hwyneb ddiddordeb iach.

– A dyna pryd y cafoch wybod am y tro cyntaf?

Amneidiodd hithau ei phen.

– Ganddo fo. Mi o'n i'n amáu ers tro, ynof fy hun.

– Be wnaeth iddo fod eisiau dweud rŵan, tybed?

– D'wn i'm. Cariad.

Llenwid hi ag eiddigedd. Roedd Tudur wedi cychwyn yn hapus, yn gynnar pan oedd y gwlith yn dal ar wellt yr ardd, a'r pecyn mawr hirsgwar mewn papur llwyd dan ei fraich. Edrychodd yn glên arni hi. Edrychai'n hynod o smart, hefyd.

– Mi fuon ni'n sôn am Mam neithiwr. Roeddan ni'n dau'n teimlo'r un fath, bod Mam wedi mynd yn ddiarth. Dwi'n siŵr ei fod o rywbeth i'w wneud â Tudur yn gadael. Gadael ddwywaith, felly.

– Gadael ddwywaith?

Roedd Hannah'n medru ymddwyn fel yr oedd therapist i fod i wneud, ar adegau o leiaf.

– Y tro cynta, pan oedd o'n ddeunaw oed, pan aeth o i'r Coleg Arlunio yng Nghaeredin. Caeredin! Fedra fo ddim mynd dim pellach oddi wrthi! Wel, tan iddo symud i America, tua pum mlynedd yn ôl. Ac mi aeth Mam i'w chragen. Deud oeddwn i neithiwr, dyna pryd y dechreuodd hi arddio o ddifri. Ond nid dyna 'di'r broblem, y garddio, ond ei bod hi mor anodd siarad â hi . . .

– Yn ôl be glywais i'r tro diwethaf, mi *oeddech* chi'n siarad . . . ond hefyd yn ffraeo?

Nodio ei phen wnaeth Ilid; roedd storm o ddagrau wedi ei hamgylchynu o rywle. Bu Hannah'n dawel am rai munudau. Estynnodd y bocs hancesi iddi. Yna meddai:

– Wyddoch chi be wnaeth ryddhau hynna ynoch chi?

Cymerodd ymdrech i Ilid sadio ei llais.

– Am . . . am fod gin i gymaint o ofn – y bydd Maia a finna 'run fath.

Gadawodd i'r dagrau olaf hercio'n araf i lawr ei bochau.

*　　*　　*

– Dwi wedi bod yn sylwi llawer ar famau a phlant yn diweddar.

– Do?

– Ar sut mae mamau'n ymddwyn efo'u plant. Dim gymaint sut mae'r plant yn bihafio. Mi welish i un fam yn anwybyddu ei phlentyn yn llwyr. Dyna oedd y peth gwaetha un, i mi. Ac un arall yn rhoi slap un funud ac yn chwerthin a chael sbort fawr y funud nesa.

Yn y lle chwarae yr oedd hynna. Clompen o ddynes fawr ddu, a hogan fach iawn yn selog mewn shorts pinc. Am daflu tywod i lygaid plentyn arall y cafodd hi'r fonclust. 'Sut fasa *hi*'n lecio tasa rhywun yn gneud hynna iddi *hi,* hy?' cyfiawnhaodd y fam ei hun wrth ei ffrind. Mi nadodd y plentyn dros bob man – bron na welech chi'r dagrau'n sboncian o'i llygaid i bob cyfeiriad. Ac yna gwelodd y fam fabi ei chyfeilles yn fisged siocled drosto. 'Hei,' meddai wrth y ferch fach, dan chwerthin, 'Sbia arno fo, nei di!' A sodrodd y mymryn truenus ar ei glin a'i chofleidio.

– Fel yna ydw i? gofynnodd Ilid i Hannah. – Yn newid o funud i funud, yn cael sgwrs gall efo Maia un funud ac yn ei churo hi'r funud nesa?

– Ella, meddai Hannah, y medrwn ni sbio ar y ddwy ochor yma ohonoch chi.

– O na. Dim y busnes dwy gadair yna eto.

– Dewch. Mi fydd yn syml iawn. Dyma Ilid y fam dda, lle rydych chi rŵan, honno sy'n sgwrsio'n gall efo'i phlant, ac yn gwneud llawer iawn o bethau eraill dwi'n siŵr. A dacw hi yn fan'cw, Ilid y fam ddrwg. Honno sy'n curo.

– Ond be dach chi isio i mi 'neud?

– Disgrifiwch sut un ydach chi.

– Be, y fi go iawn, ynte mam dda ddelfrydol?

– Y chi go iawn.

– Ar fy ngora, 'ta.

Disgwyliodd y ddwy. Roedd o fel disgwyl am yr Ysbryd Glân mewn cyfarfod gweddi efengylaidd. Ond doedd hyn ddim yn dŵad ar ei union, ddim yn 'hedeg i lawr tuag atoch . . . roedd rhaid cymryd camau bychan blêr, ansicr tuag ato. Gwneud ffŵl ohonoch eich hun. Gwyddai Ilid hynny erbyn hyn, ond eto daliodd ei thir am rai munudau cyn codi ei sgert a mentro i'r dŵr.

– Dwi'n gwrando. Dwi'n trio 'ngora glas i wrando

arnyn nhw. Dwi wrth fy modd yn amal. Dwi'n gwirioni efo be maen nhw'n ddeud. Deio, ella, fwy ar y funud. Mae o mewn oed bach annwyl. Deud petha gwreiddiol. Ond hitha hefyd. Ro'n i wedi fy nghyfareddu pan soniodd hi ei bod hi'n meddwl o hyd, yn y car y diwrnod o'r blaen, ei bod hi'n myfyrio fel'na. Ond – o, mae hynna'n ei 'neud o'n waeth, be 'nesh i – oes isio i mi symud?

– Dim eto. Daliwch ati. Rydych chi'n gwrando, ac wrth eich bodd yn aml.

– A dwi'n chwara. Wna i fod yn glaf, yn blentyn ysgol, yn Smotyn, yn geffyl, yn Big Ears. Ond dyna sy'n anodd. Cael lle i ddau. Dim ond lle i Noddy a Big Ears sy 'na yng nghar bach Noddy. 'Dan ni'n llawn, rhaid i ti ddisgwyl tan y tro nesa. Ie, chdi, am mai chdi 'di'r hyna. Y fwya. Bach ydi o.

Neidiodd Ilid allan o'i sedd ac i mewn i'r gadair wellt. Meddai'n ffyrnig:

– 'Di o ddim yn blydi teg, Mam. Pam fo, fo o hyd. Fi oedd yma gynta.

Roedd hi'n crynu trosti.

– Ilid, dwi'n meddwl ein bod ni wedi taro ar rywbeth arall cryf iawn wrth wneud hyn. Mi ydw am ofyn i chi fynd yn ôl at yr ymarfer gyda hyn, ond cyn hynny hoffech chi ddeud sut ydach chi'n teimlo?

Roedd llais Ilid yn floesg.

– Dwi'n boeth, boeth a dwi fel 'swn i 'di llyncu rhywbeth mawr a hwnnw ar fin ffrwydro allan ohona i.

Nodiodd Hannah ei phen yn araf.

– Mi ddown ni'n ôl at hyn eto. Dewch i ni droi'n ôl at y fam ddrwg . . . trïwch ddeud sut un ydach chi.

– Fi'r fam ddrwg. Hm. Wel, s'gin i'm 'mynadd. Dim.

151

Dwi'n disgwl iddyn nhw fedru gwneud petha ohonynt eu hunain. Darllen. Sgwennu. Gwneud llun. Pam na fedran nhw ddallt? Fel athrawes, dwi'n gwbod wrth gwrs nad ydi pob un ddim yn ei gweld hi'r tro cynta – ond dwi'n disgwl iddyn nhw fod yn wahanol. Dyna un rheswm pam dwi'n colli fy limpyn.

Petrusodd.

– Oes 'na rywbeth arall?

– Newydd sylweddoli hyn ydw i. Efo'r colli 'mynadd. Efo *hi* fydda i fel hyn. Dim efo fo. Dwi – fel 'swn i'n disgwl petha gwahanol gynni hi. Wn i'm pam chwaith . . . am ei bod hi'n hŷn, ma'n siŵr.

Ond nid oedd argyhoeddiad yn ei llais.

– Dwi'n meddwl 'mod i'n ei thrin yn wahanol am ei bod hi'n *hogan*.

– Rydych chi wedi peidio â bod yn fam ddrwg, Ilid. Dim ond dweud hynna ydw i i ni gael deall fod y gwaith dwy gadair, a'r chwarae rhannau, ar ben. Fasach chi'n hoffi i mi roi f'ymateb i rŵan?

Amneidiodd Ilid ei chytundeb.

– Ydach chi eisiau symud yn ôl i'ch lle, ynte ydach chi'n iawn yn fan'na?

– Mi symuda i'n ôl, dwi'n meddwl.

Symudodd yn ei hôl. Roedd hi yn union gyferbyn â Hannah unwaith eto.

– Mae yma amryw o betha. Pan ddaethoch chi yma heddiw, ar y dechra, soniocch am eich darganfyddiad eich bod yn caru Deio'n fwy na neb, yn hanner-ffansïo Tudur, ac yn colli Arun. Yntê. A rŵan, dyma chi'n dweud eich bod yn trin Maia'n wahanol am ei bod hi'n *ferch*.

– Dynion, meddai Ilid.

Disgwyliodd Hannah.

– Dynion sy'n bwysig i mi. Dad, dim Mam. Arun. Tudur. Deio. A doeddwn i mo'ch isio chi ar y dechra, a rŵan dwi'n gwbod pam. Pan edrychais i drwy'r hysbysebion, y dynion oedd yn apelio ata i. Mi driais i ddeud wrtha fi fy hun 'mod i ddim yn lecio achos mai Lucy ddewisodd drosta i, ond dim dyna oedd yn fy nghorddi go iawn. Do'n i ddim isio merch.

– Ond yma ddaethoch chi, ata i.

– Ia. Do'n i ddim isio merch, dwi'n cofio deud hynna wrth Sera, pan oedd Maia'n beth fach. Ar y pryd, mi fedrwn i ei ddeud, achos mi oedd bob dim yn iawn. Roedd Maia'n beth fach mor annwyl, ac Arun a finna wedi gwirioni efo hi.

– Be ddigwyddodd i newid hynny?

– Fi.

– Chi?

– Oeddach chi'n disgwl i mi ddeud Deio?

Rhyw agor ei llygaid wnaeth Hannah.

– Fi greodd Deio, yntê. Heblaw amdana i, fasa Arun wedi gwneud dim. Y fi oedd yn methu maddau – roedd yn rhaid i mi gael babi arall, rhaid i ni ddilyn y cynllun.

– Er mwyn?

– Er mwyn be?

– Oedd 'na reswm tu ôl i'r cynllun, ar wahân wrth gwrs i'ch dymuniad i gael teulu?

– Wel. Yn y pen draw, ro'n i am fynd yn ôl i 'ngwaith.

– A. Roedd hynny'n bwysig?

– Wel, oedd. Achos pan wnes i stopio gweithio, roedd petha'n argoeli'n reit dda i mi, a deud y gwir. Roeddwn i'n bennaeth yr Adran Iau ac yn arbenigo mewn hanes a daearyddiaeth. A – wel, roedd y prifathro wedi crybwyll i mi fynd am swydd well. Swydd dirprwy, mewn ysgol lai.

– Ond wnaethoch chi ddim.

– Efo bol mawr fel pwdin Dolig?

Cododd Hannah'r mymryn lleiaf er ei hysgwyddau.

– Mae llawer o famau'n gweithio'n llawn amser y dyddiau yma.

– Ond dim mewn swydd fel un dirprwy, Hannah. Mae'n lladdfa o swydd – yn union fel un Arun.

– A felly doedd hi ddim yn bosib i chi'ch *dau* fod mewn 'lladdfa' o swydd?

– Wel, nagoedd. Mae'n sefyll i reswm.

– A chi wnaeth roi'ch uchelgais o'r neilltu, am y tro o leiaf.

– Ia. Ond cofiwch, dwi'm yn meddwl y gwnes i ddeud hynna wrtha fy hun. Rhyw flotyn ar y gorwel pell oedd fy ngwaith i mi pan adewais i i gael Maia.

– Ond rŵan . . . rydych wedi sôn fwy nag unwaith am y ffaith eich bod wedi *brysio* i gael Deio, wedi rhuthro pethau yn eu blaenau. Meddwl ydw i, tybed oedd gan hynny rywbeth i'w wneud â'r ffaith eich bod yn bwriadu –

– Mynd yn ôl i weithio. Mm.

Eisteddodd Hannah yn ei hôl. Ymhen munud neu ddau, ychwanegodd:

– Dim yn unig mynd yn ôl i weithio, mi ddeudwn i, ond mynd yn ôl i gyflawni uchelgais.

– 'Run fath ag Arun.

*　　*　　*

154

– Rydach chi wedi gweithio'n galed iawn heddiw, wedi dadorchuddio llawer o betha. Yn fwy na dim, ella, wedi llwyddo i fynegi petha oedd gynt allan o'ch cyrraedd.

– Yn fy isymwybod?

– Ie, mi fedrech ddweud hynny.

Oedd yna ffordd arall o edrych arni, felly? Ond ni fynnai Ilid ddilyn y trywydd yna rŵan.

– Peth arall a'm trawodd i oedd y llam o fod yn fam i fod yn blentyn, yn y rhan gynnar, pan oeddech chi'n disgrifio'r fam dda.

– Dwi'n cofio hynna.

– Roeddech chi wedi trawo nerf.

– O'n.

– Wyddoch chi pam, ne be?

– O, Mam. Fel y byddai hi'n disgwyl i mi ildio i Deio – Tudur, dwi'n feddwl – drwy'r adeg. Am ei fod o'n llai. Ac yn sâl. Am fy mod i'n hŷn. Ac yn gall.

– Ac yn ferch?

– Mm . . . am Maia ddeudis i hynna, yntê?

– Ie, ond tybed oes 'na gysylltiad.

– Mam yn disgwyl i mi fod yn gall trwy'r adeg, a finna'n disgwyl yr un peth gin Maia, *er* 'mod i wedi diodde oddi wrth y peth fy hun?

– Dim y chi fasa'r gynta i ailadrodd y gorffennol.

– Naci.

Roedd hi wedi meddwl am yr Iddewon sawl tro, ar ôl yr holl erlid a ddioddefasant, yn hel yr Arabiaid o'u cartrefi ym Mhalesteina.

– Ydach chi'n meddwl fod dioddefaint yn caledu pobol?

Ond tra oedd Hannah'n cysidro'i hateb, ebychodd:

– Y brws gwallt!

– Brws gwallt?

– Ia, dyna efo be wnes i daro Maia, cyn i mi ddŵad
i'ch gweld chi. A mi gofiais i wedyn, am Mam yn rhoi
andros o chwip din i mi efo brws gwallt. Un neis arian
o'n i wedi'i ffansïo. O'n i wedi bwriadu deud o'r blaen.

– Rhoi caniatâd.

Aeth Hannah yn ei blaen i egluro,

– Roedd y ffaith fod eich mam wedi eich curo â brws
gwallt yn rhoi caniatâd, ar ryw lefel, i chitha wneud yr
un peth.

Roedd Ilid yn ysgwyd ei phen.

– Wel, dyna be mae un theori yn ei ddweud, beth
bynnag. Hitiwch befo os nad ydach chi'n cytuno â hi.
Dewch i ni ddod yn ôl at Ilid y fam dda. Mae hon yn
dda iawn am chwarae – bod yn geffyl, yn Smotyn ac yn
y blaen. Dwi'n ama eich bod chi'n fam dda, yn rhannol,
am fod eich plentyn mewnol chi'n fyw iawn. Ond
bodau emosiynol iawn ydi plant – teimladau sy'n eu
rheoli, fel arfer, yn hytrach na rheswm oer. Felly, pan
oeddech chi, fel mam, mewn cysylltiad â'r plentyn
yma, roedd hi'n bosib y byddai eich teimladau chitha'n
gryfach na'ch rheswm. Ydach chi'n cofio sôn am
folcano tu mewn i chi, hwnnw oedd ar fin chwythu efo
Maia?

Amneidiodd Ilid ei phen.

– Tybed ai'r profiad cynnar yma o annhegwch oedd
un o'r petha a ysgydwodd eich bod . . .

– i greu'r folcano . . .

– Ia, a mae gynnoch chi'r rhwystredigaeth hefyd, yr
ochor uchelgeisiol ohonoch sy wedi ei dal yn ôl. Ond
math arall o egni sy yn fan'na. Mae mwy nag un
seicolegydd yn sôn am yr hunan fel triawd, wyddoch

chi. Y plentyn, yn gynta, a'i deimladau. Yr oedolyn wedyn. Ac yn olaf yr un sy'n goruchwylio, yn cadw llygad feirniadol ar y lleill. Y gydwybod, os leciwch chi.

– Mi wn i am honno, meddai Ilid. – Hi sy'n gwbod orau.

Gwingodd wrth adnabod y geiriau.

– A'r plentyn?

– Wel, dwi'n gwbod be ddeudoch chi, am fwynhau chwarae efo'r plant. Ond dwi'n teimlo mai yno er fy ngwaetha yr oedd hi. Ynof fy hun ro'n i bron â cholli nabod arni hi. Mae'n beth rhyfedd. Dwi'n ei gweld hi rŵan, yn dawnsio.

Distawrwydd, tra dawnsiai'r ferch fach yn ei digofaint a'i llawenydd yn llygaid meddwl y ddwy ohonynt. Yna edrychodd Hannah ar ei horiawr.

– Mae'n hamser bron ar ben, Ilid.

– Mi sgwenna i'r siec.

10

Deialodd Ilid y rhif. Roedd y cyntedd yn oer braf ar ôl gwres yr ardd. Deuai sŵn sblasio a gwichian o gyfeiriad y pwll padlo yn y cefn. Cafodd ateb.

– Ydi Mr Michael Hughes ar gael, os gwelwch yn dda?

– Ga i ofyn pwy sy'n galw?

– Ilid Kataria.

Roedd yn enw anghyffredin, cyfuniad oedd yn debyg o wneud argraff ar bobol hyd yn oed os nad arhosai yn eu cof. Arferai Ilid hoffi ei henw – ei rythm, yr enw cyntaf teidi a'r tri sill urddasol ar ei ôl. Ond pe câi'r dewis heddiw, efallai mai aros yn Ilid Price a wnaethai.

– Helô. Michael Hughes. Sut alla i eich helpu chi?

– Wel . . .

Edrychodd Ilid i lawr arni hi ei hun. Ai yn droednoeth, mewn ffrog haul a ddatguddiai ei hysgwyddau, pengliniau a rhan helaeth o'i bronnau yr oedd gofyn am swydd?

– Meddwl yr o'n i tybed a ydych chi'n trefnu gwaith llanw ar gyfer tymor yr hydref. Rŵan, felly.

– A, we-l. Dyna i chi beth od. Mynd drwy'r rhestr o'n i gynna. Ac oes, mae yna agoriad, i rywun fel chi. Os ydych chi'n barod i fentro.

– Mentro?

– Wna i egluro.

Aeth yn ei flaen i esbonio bod un o ysgolion cynradd Greenwich wedi methu Arolwg ac yn wynebu cyfnod o Fesurau Arbennig. Roedd yr Awdurdod Addysg yn awyddus i ffurfio tîm o arbenigwyr a fedrai lywio'r ysgol drwy'r cyfnod anodd hwn.

– Ond be fedra i ei gynnig?

Rhoddodd Michael Hughes ryw chwerthiniad bach.

– Lwcus mai dim cyfweliad ydi hwn, 'ntê, a finna'n gorfod eich brolio chi. Profiad, Mrs Kataria, dyna be sy gynnoch chi i'w gynnig. Doeddech chi ddim yn bennaeth yr Adran Iau yn eich hen ysgol? A honno'n ysgol dda iawn, os ca i ddeud.

Yr hen O'Brei, ei chyn-brifathro, oedd wedi bod yn ei chanmol, mae'n siŵr. Roedd o wedi ei siomi pan adawodd hi ei swydd. 'Mi ddylat ti fod yn mynd am job

158

dirprwy, Ilid. Be 'nei di efo un plentyn wedi i ti arfar efo deg ar hugain? Ond chdi ŵyr, wrth gwrs.'

– Be yn union fasa'r swydd?

– Wnes i ddim dweud? Dirprwy. Dros dro, yntê. Dirprwy!

– Job galed, bod yn ddirprwy mewn ysgol fel yna.

Daeth y geiriau allan cyn iddi eu hatal.

– Sialens, dyna'r gair addas, dwi'n meddwl, Mrs Kataria. Ylwch, cymrwch dipyn o amser i gysidro, ia, a gadewch i mi wybod.

Doedd hi ddim wedi gofyn dim am yr ysgol, lle roedd hi na faint o ddisgyblion na dim. Canfu ei bod wedi dod drwy'r drws ffrynt a'i bod yn edrych dros y lôn ar y rhostir tu draw. Petai hi heb ei ffonio, fyddai o wedi cysylltu â hi? Go brin. I Hannah, felly, roedd y diolch am y cynnig anhygoel hwn.

Sylwodd ar farcud bach coch yn mynnu ehedeg yn uwch na'r gweddill. Pethau digri oedd barcutiaid, yn dynwared adar. Adar ar linynnau. Doedd dim sicrwydd y buasai hi'n cael y swydd, beth bynnag. Roedd yn rhaid cael cyfweliad. Ond mi oedd o wedi awgrymu na fyddai yna lawer iawn o gystadleuaeth, dan yr amgylchiadau. A pheth arall, roedd y tymor wedi gorffen, a phob cyfle i athrawon eraill ymddiswyddo wedi mynd heibio. Felly doedd ganddyn nhw mewn gwirionedd ddim llawer o ddewis.

Trodd at y tŷ, a syllu ar ei jeraniyms. Roedd sawl pen gwywedig a dail wedi crino yn glynu wrth eu coesau. Ysai'n sydyn am dorri eu pennau. Gwibiodd ei dwylo rhwng y planhigion gan roi clec i goesau crin a thynnu hen ddail i ffwrdd. Trodd y petalau sych yn llwch rhwng ei bysedd a llanwyd ei thrwyn â sent mwsgaidd.

Dyna nhw, roedd golwg cymaint yn well arnynt. Ar ôl colli'r holl stwff marwaidd yna, disgleiriai'r pennau cochion yn jiarffiaid i gyd yn eu bocsys blodau.

*   *   *

– Drinc? sisialodd Shama wrth fynd heibio iddo yn y coridor.

    – Y . . . iawn.

    – Heno, am wyth. Y Galleria.

Ac i ffwrdd â hi cyn iddo gael cyfle i ategu dim. Roedd hi'n gwybod yn barod eu bod ar yr un shifft, yn darfod am hanner awr wedi saith. Gadawai wyth ddigon o amser i'r ddau gael eu cadw ychydig yn hwyr, newid, a chyrraedd y Galleria, ond dim digon i fynd adre i newid. Dim digon, hynny yw, i baratoi ei hun heblaw yn ystod y munudau rhydd prin a gawsai yn ystod y dydd.

Oedd o eisiau ei gweld hi? Oedd.

    – Arun! Ffôn.

Oedd o eisiau sgwrs ddifrifol â hi? Nag oedd.

    – Mae'n ddrwg gin i, chlywis i mo hynna'n iawn, fedrwch chi fynd dros y rhan ola eto?

Clywodd ebychiad diamynedd Dale Campion – un o Awstralia oedd o, a doeddan nhw ddim yn trafferthu cuddio eu teimladau. Roedd Arun ac yntau'n cyd-weithio ar brosiect *angina*.

    – Sori, Dale. Noson go fawr neithiwr.

Roedd Arun wedi clywed sôn fod Dale yn dipyn o yfwr. Mi chwarddodd, diolch byth.

    – Wel, cer am goffi, a ffonia fi'n ôl pan fydd dy ben 'di clirio.

Roedd ar fin derbyn yn ddiolchgar pan gofiodd,

diolch i'r drefn, ei bod hi'n amhosib cael ateb ar estyniad Dale.

– Na, na dwi'n iawn. Well i ni drefnu hyn gyntad bo modd.

Doedd fiw iddo adael i'r berthynas yma efo Shama amharu ar ei waith. Doedd hi ddim wedi cynnig eu bod yn cerdded efo'i gilydd o'r ysbyty i'r bar, chwaith – oedd hi'n trio cadw pethau'n dawel? Blydi hel, *be* oedd y boi'n ei ddweud?

Bu raid iddo gymryd lle Pryce, y *consultant*, yn y clinig pnawn, profiad diflas gan fod pob un o gleifion hwnnw wedi arfer â'i ffordd o o wneud pethau ac yn anfodlon derbyn awgrymiadau Arun. Wrth gwrs, buasai'n haws petai'r ddau yn meddwl yn yr un ffordd. Roëdd o fel bod yn *understudy*, a chlywed ochenaid y gynulleidfa pan wneid y datganiad nad oedd y seren am berfformio. Ar ben hynny, yn naturiol, doedd un neu ddau ddim am ei gymryd o ddifri oherwydd lliw ei groen. Roedd o wedi hen arfer â hynny; yn cael sbort weithiau'n tynnu eu symptomau allan o'i lawes cyn iddynt gael cyfle i'w hadrodd wrtho, fel sipsi dweud-ffortiwn. Neu athrylith. Ond heddiw doedd ganddo ddim amynedd. Beth bynnag, roedd y rhestr yn faith. Yn ystod y munudau prin rhwng i un claf adael a'r nyrs gyrraedd efo ffeil y nesaf, meddyliodd y câi ddweud wrth Shama heno pa mor falch fyddai o fod yn gonsyltant ei hun. Pan. Os. Pan.

– Dr Kataria, rhag cwilydd i chi'n malu bloda fel yna.

– Sori, Eileen.

– Fi ddoth â nhw, o'r ardd, i sbriwsio dipyn ar y lle 'ma.

Gafaelodd yng nghoesyn y llygad llo bach, rhoi tro ynddo a'i dorri. Aildrefnodd y bwnsiad yn y jŵg yn frysiog.

– Dim ond tri ar ôl rŵan.

– Mae'n ddrwg gin i, Eileen, wyddwn i ddim mai chi . . .

– Cleifion, o'n i'n feddwl.

Yn ei hôl yn y coridor cofiodd ei bod wedi bwriadu cynnig nôl diod oer iddo, neu baned. Dim ots: mi wnâi'r tro nesaf. Gallai ddisgwyl ei hun am ugain munud arall. Gwên neis oedd ganddo, dipyn bach yn betrusgar, ond yn llawn *charm*, serch hynny. Roedd golwg boenus arno; beryg iawn ei fod o'n wir, be oeddan nhw'n ei sibrwd amdano. Hen jadan fach oedd y Shama yna'n jolihoetian efo dynion priod – faint oedd yna ers iddi hi orffen efo Steve? Hwnnw'n cael difôrs rŵan.

Erbyn iddo wneud ei rownd, cael trefn ar rai o'r nodiadau, a gwneud rhai galwadau ffôn anochel, roedd hi'n 7:53 ar wyneb y meicrodon yn y stafell staff ar Arun yn estyn am ei siaced a'i tharo dros ei ysgwydd.

Gwelodd hi ar ôl troi'r gornel, yn dod o gyfeiriad y stryd. Sut oedd hi wedi cael amser i ddianc o'r ysbyty? Ffrindiau, ffrindiau. Gwyddai am y we gynhaliol y trafaeliai ffafrau ar hyd-ddi. Benthyg mwclis, lle i gysgu, dyn. Medrai weld y clecs amdanynt hwy ill dau'n ymledu drwy'r we fel cyffur trwy gorff.

Cerddai Shama'n bwrpasol, gyda chamau breision braf, ac ar ei hôl llifai sgarff o bob gwawr o biws – porffor, fioled, lelog. Anelai'n syth am y lle, heb betruso nac ail-feddwl. Hogan fedrai shyfflo cariadon fel dec o gardiau. Oedd o am ddal i fyny â hi? Dim ond canllath rŵan.

A'i llaw ar y drws, trodd ei phen a gwenu arno:

– Dod o'r tu ôl i mi, ie?

Doedd hi ddim i'w gweld yn malio dim nad oedd o wedi galw arni, neu ddal i fyny efo hi. Meiriolodd; teimlai ei hun yn llenwi ag ysgafnder fel balŵn yn llawn o heliwm. Ysai ei law am gael llyfu llyfnder y coesau hirion yna.

– Edmygu dy goesa di o'n i.

– O, ti'n lecio fy sgert i.

Buont yn ffodus: roedd dau yn gadael, ac roedd lle iddynt eistedd yn yr ardd, lle cawsant lonydd i gyffwrdd pen-glin a chlun dan y bwrdd, a siarad yn ddi-baid am yr ysbyty, eu huchelgeision, eu rhwystredigaethau, eu ffrindiau a'u gelynion. Ar ddiwedd y noson rhanasant y bil, y tacsi a gwely Shama tan tua chwech y bore pan ganodd ei blip a gollwng Arun o freuddwyd lle na chafodd o ei benodi i swydd *consultant* ond yn hytrach hogan ysgol un ar bymtheg oed o'r enw Sally.

*   *   *

Felly doedd o ddim yn barod o gwbl pan ddaeth y drafodaeth go iawn y pnawn canlynol. Sefyll ar lwybr Jiwbilî wrth ochor yr afon yr oeddynt; syniad Shama oedd dod allan o'r ysbyty am awyr iach. Chwipiai'r gwynt ei gwallt yn gudynnau du ar hyd ei hwyneb pan drodd i'w wynebu.

– Wyt ti am fynd adre heno?

– Heno?

– Ia, heno – wedi'r cwbwl, est di ddim adre neithiwr, naddo?

– Naddo . . . dwn i'm.

– Pryd gwelist di dy blant ddiwetha?

– Dydd Sadwrn – yli, Shama, be 'di ystyr hyn?

– Dwi'n arbad amser i ni. Mae'n siŵr o ddod i hyn yn y diwedd. Mynd adre. Y plant. Ac wrth gwrs, y wraig. Wyt ti'n caru dy wraig, Arun?

Wnaeth o ddim ateb yn syth. Ymffurfiodd rhyw fath o ateb yn ei feddwl, megis: 'Fydda i ddim yn meddwl amdani fel fy ngwraig, ma' gas gin i'r fformiwla yna, a gorfod priodi o safbwynt gwleidyddol a theuluol fu raid i ni, beth bynnag.'

– Ilid, meddai – Ilid ydi ei henw.

– Wel, Arun, wyt ti'n caru Ilid?

Gwyliodd Shama ei wyneb fel barcud. Edrychodd yntau i ffwrdd, ar ganghennau'r goeden blanwydden wrth eu hymyl a'i dail wyneb i waered yn y gwynt. Meddyliodd y buasai'n well i Shama fod heb ofyn y cwestiwn yna. Ac y dylai o fod wedi ei ofyn gyntaf.

– Dim fel y byddwn i.

Aeth y tensiwn allan o'i hwyneb.

Ond roedd hanner ei ateb o'r golwg, fel un o'r mynyddoedd iâ yr oedd tad Ilid mor hoff o sôn amdanynt.

*   *   *

– Mae'n ddrwg gen i os oedd hynna braidd yn – ddiflewyn-ar-dafod.

Ciledrychodd arno; roeddynt yn cyd-gerdded yn ôl i'r ysbyty. Roedd ei wyneb wedi cau.

– Roedd rhaid i mi gael . . . rhyw syniad, ti'n gwbod.

– Syniad o be? Dy jansys? Gwneud asesiad llawn o'r sefyllfa?

– Os leci di.

– Mi wyt ti wedi elwa ar dy drêning, beth bynnag.

– Dyna un ffordd o edrych arni. Ne mi fedrwn ddweud fy mod wedi dysgu o brofiad.

Fedrai o ddim llai nag edmygu ei ffordd uniongyrchol, a'r modd yr oedd hi wedi ei dynnu o oddi ar ei echel.

∗ ∗ ∗

Aeth o ddim adref, chwaith, ond cosbodd ei hun drwy fethu cysgu. Y meddwl meddygol yna, yn sgleinio fel cyllell. Dwed y gwir wrtha i, hyd yn oed os ydi o'n brifo. Mor wahanol i Ilid. Yr olwg glir, antiseptig bron – dewr, hefyd – dim byd tebyg i ymateb barddonol Ilid i'r byd. Ei chwilio am ystyr ym mhopeth – pâr o gwpanau, cân bop, dyddiad. A oedd Ilid wedi gweld y ffidil yn y to pan drodd y wal yr oeddent newydd ei phlastro'n ddu gan leithder?

Taflodd y cwilt i ffwrdd. A oedd y cariad rhyngddo ac Ilid wedi marw, wedi cael ei dagu gan sbwriel a cherrig eu brwydrau? Yn blanhigyn gwanllyd heb y gallu i wneud y bwyd i'w gynnal ei hun yn yr haul. Creadur chwim yn troi'n hen beth bratiog, cloff, yn brae i anifeiliaid cryf ac iach. (Wrth gwrs, roedd hynna'n naturiol. Dyna natur henaint; ond nid dyna beth oedd o wedi ei rag-weld iddynt hwy.)

Cododd ar ei eistedd. Sbec ar rifau coch y cloc. 2:30. Hwyr. Mi ddylai Ilid fod wedi gadael iddo fynd adre adeg y Dolig y llynedd. Yn rhydd a di-wrthwynebiad. Iesu Grist, at ei fam oedd o'n mynd, nid at ryw ddynes arall.

Pwff bach o chwerthin. Wel, yn sicr roedd y twyll wedi gwneud pethau'n waeth. O uffern, iddi fod wedi

165

ffonio'r ysbyty i ddweud fod Deio'n sâl. A chael gwybod gan Eileen ei fod yn India. Gwaeth na hynny, doedd Eileen ddim wedi nabod ei llais hi, ac wedi dweud wrthi ei fod wedi mynd adre dros y flwyddyn newydd. Clywai lais Ilid yn ei glustiau rŵan.

– Na, 'di o ddim. Siarad o'i gartre o ydw i.

– O India?

– Naci siŵr. O Blackheath.

Trodd ar ei fol a mygu ei ben yn y gobennydd i ddianc rhag poen ac embaras Ilid. Roedd o'n mynd adre fory, ar ôl ei shifft gynnar, a dyna ben arni.

*   *   *

Roedd ar Ilid angen symud. Mynd allan o'r tŷ, gadael i'w choesau ei chario a'i meddwl grwydro iddi gael llonydd i feddwl. Ond yn gyntaf roedd ganddi waith perswadio.

– Dim ond os cawn ni eis-crîm.

– O'r caffi.

– Un dwbwl. Ceirios a *cointreau* ydw i isio.

– Nefoedd! Gawn ni weld sut fyddwch chi gynta, ia.

– Pam na cheith Tudur ddŵad?

– Am nad ydi o ddim yma, na'di, Deio.

Roedd ei brawd wedi mynd am Gymru y bore cynt, ac roedd chwith ar ei ôl. Buasai Ilid wedi gwerthfawrogi cael rhywun i drin a thrafod cynnig y bore gydag o. Byddai'n dod i aros eto am ddiwrnod neu ddau cyn dal awyren yn ôl i'r Unol Daleithiau. Roedd wedi addo mynd â'r plant i Hamleys i ddewis tegan bob un, ac wedyn i gaffi Liberty's am eis-crîm *sundaes*.

– Ga i ddŵad yn fy siwt nofio, Mam?

– A fi?

– Na chewch! Wel – wn i be – pam na roi di grys-t am ben dy un di, Deio . . .

– 'Di o'm yn deg!

– A chditha 'run fath, Maia. Efo sgert ne bâr o shorts. Y sgert bach felen 'na fasa'n ddel.

– O Mam! Melyn a phiws efo'i gilydd! Dwi *ddim* yn meddwl.

– Wel, be leci di 'ta! Ond dowch yn reit handi, ne . . .

– Ne be, gofynnodd Deio gan ddod i lawr y grisiau mewn crys ffwtbol dros ei siwt nofio.

– Ne mi fydda i 'di byrstio'n disgwl yn fa'ma!

– Sôn am fyrstio, meddai Maia, dwi'n gobeithio na fydda i ddim angen mynd i'r toilet. Mi gymrith *oria*.

– Dim fy mai i ydi o, meddai Deio, gan wibio heibio iddynt a rhedeg ar draws y gwellt crin i gyfeiriad gatiau'r parc.

Roedd y parc yn llawn o bobol yn torheulo. Roedd rhai wedi gwneud diwrnod llawn ohoni, yn amlwg, mewn bicinis a photeli mawr o hylif haul wrth eu penelin, radio'n canu nerth ei phen a phentyrrau o drugareddau. Ac eraill fel petai awydd i'w taflu eu hunain ar lawr wedi dod trostynt – fel y boi acw draw ar y llechwedd a siaced ledr wedi ei rhowlio dan ei ben a'r *Evening Standard* dros ei wyneb. Roedd un ne ddau wedi camgymryd nerth yr haul – gwddw'r ddynes druan yna'n binc hegar, dim rhyfedd chwaith efo'i chroen brycheulyd a'i gwallt coch hi. Gwingodd Ilid drosti wrth iddi ddangos mwy o'i chnawd llosg wrth dyrchio yn ei bag llaw am arian i'w roi i dri o hogiau mawr oedd yn gweiddi am eis-crîm.

Cerddodd Ilid i lawr y llwybr a ddisgynnai'n serth tuag at y gwastadle yn y gwaelod lle roedd y cae chwarae. Rhedodd y ddau blentyn i lawr yr ochor,

Deio'n ymestyn ei freichiau allan a gwneud sŵn awyren. Effaith mynd i Heathrow, meddyliodd Ilid.

Wedi cyrraedd y maes chwarae, aeth Ilid i eistedd ar y gwelltglas wrth ymyl y pwll tywod mawr gan adael i'r plant redeg o gwmpas. Rŵan am y swydd yma. Be oedd yna i'w gysidro? Yn gyntaf, wyddai hi ddim lle roedd hi hyd yn oed – ym mha ysgol. Roedd hynny'n berthnasol, efo trafaelio. Ac eto, waeth pa mor agos oedd yr ysgol, fedrai hi ddim bod yna i nôl y plant o'u hysgol nhw. Nac i'w danfon, chwaith, mewn gwirionedd, achos buasai disgwyl i'r athrawon gyrraedd tua hanner awr cyn i'r ysgol ddechrau. Wel dyna fo 'ta – fedra hi ddim eu gadael efo rhywun diarth fore a nos, bob un diwrnod o'r wythnos, a Deio ddim ond newydd gychwyn yn yr ysgol. Fuasai hynny ddim yn deg arnyn nhw.

– Mam, ga i dynnu'r sgert a'r top 'ma? Dwi'n boeth.

– O Maia, d'wn i'm. S'gynnon ni ddim stwff haul.

– Dim ots. Dwi'n frown, tydw? Yli, ma'r genod bach 'na i *gyd* yn eu siwtiau nofio.

– Wel . . . ma hi'n reit hwyr yn y pnawn, bron yn bump. Dydi'r haul ddim ar ei gryfa ddim mwy.

Roedd Maia wedi camu allan o'r sgert a diosg y top mewn eiliadau. Rhedodd yn ôl i'r tywod a rhoi andros o naid i fewn iddo. Edrychai'n frown iawn yn ymyl y genod bach eraill a'u cnawd golau. Doedd hi ddim wedi cyfeirio at liw ei chroen ers peth amser – dim i Ilid fod yn cofio. Llynedd, honnai mai gwyn oedd ei chroen hi 'fath â chdi, Mam'. Efallai fod croen brown yn fwy derbyniol yn yr haf.

Dillad – yn sicr, doedd ganddi ddim digon o bethau addas, dim ond llond droriau o legins a siwmperi a jîns. Ond doedd hynny ddim yn broblem ynddo'i hun. Câi bres ar ôl dechrau gweithio eto, pres i wario arni hi ei hun. Ond roedd hi newydd benderfynu peidio.

Daeth sŵn crio aflafar i'w chlustiau. Un o'r merched ofnadwy yna wedi estyn slap eto, mae'n siŵr.

Tybed be ddywedai Arun.

– Mam! Mam! Tyd yma, tyd!

Roedd Maia'n amneidio'n wyllt arni, yn sefyll rŵan rhwng y pwll tywod a'r sleid. Be goblyn? Doedd hi ddim i'w gweld wedi brifo na dim. Yna fe welodd Deio tu ôl iddi, a'i geg ar agor mewn bloedd o wylo. Stryffagliodd ar ei thraed a rhedeg yn afrosgo tuag ato. Penliniodd o'i flaen a rhoi ei breichiau am ei wddw.

– Be sy, Deio bach? Be sy? Deud wrth Mam be sy.

Ond dal i floeddio a wnaeth.

– Ella y medra i egluro.

Sbiodd Ilid i fyny ar y ddynes; roedd ganddi fabi mewn sling. Gwallt hir, brith.

– Fi wnaeth ddweud y drefn wrtho fo. Dach chi'n gweld, roedd fy merch fach i yn disgwyl ar ben y sleid. Mi oedd o tu 'nôl iddi – ac mi gwthiodd hi'n galed!

– O diar!

– Ia! Mi oedd hi'n andros o bwsh. Mi darodd ei phen yn erbyn yr ochor, wrth fynd i lawr yn gam. A hitha'n llai o lawer na fo, mi oedd hi'n ddigon hawdd gweld.

– Mae'n ddrwg gin i. Deio, 'nest di wthio'r hogan bach?

Roedd Deio yn dal i feichio crio.

– Ma'n ddrwg gen i os wnes i ei ddychryn o, meddai'r ddynes. – Ond chwara teg! Dim ond dwy ydi hi.

Roedd Ilid yn dal i fwytho Deio. Cododd ar ei thraed, a rhoi ei braich o gwmpas ei ysgwyddau.

– Tyd, awn ni draw i fan'cw.

169

Gwyliodd y ddynes â'r sling nhw'n mynd, a golwg amddiffynnol yn ei llygaid. Cusanodd dalcen y babi, a phlygu i ddweud rhywbeth wrth yr hogan fach wrth ei sodlau. Eisteddodd Ilid ar fainc, a thynnu Deio ar ei glin. Daeth yn ymwybodol fod y merched o'u cwmpas wedi dal sylw, rhai'n edrych tuag atynt yn feirniadol a rhai eraill yn siarad dan eu gwynt. O damia uffern! Tynhaodd ei breichiau am Deio. Cyffyrddodd ei bysedd â deunydd gwlyb. Roedd tu blaen ei siwt nofio las wedi troi'n ddu. Roedd hi wedi codi cymaint â hynna o ofn arno fo! Llifodd cynddaredd a thosturi drwyddi. Y bitsh hunangyfiawn iddi hi, yn ymosod ar blentyn yn lle dod i chwilio am ei fam i gwyno. Dyna hi wrth ymyl y swings, yn hanner troi oddi wrthi hi gan esgus llnau wyneb y babi. 'Mae pob plentyn yn fabi i rywun!' teimlai awydd sgrechian ar dop ei llais. Rhoddodd ei bol dro arall wrth feddwl am du mewn ei mab yn diferu mewn dychryn. Cwlwm o gywilydd a chariad a gwylltineb. Arhosodd yn ei hunfan yn magu Deio am hydoedd, yn gwrando ar y dolefain yn atseinio tu mewn i'w hasennau hithau. Gwyrodd y fam arall a chodi'r hogan fach i mewn i'r swing. Cofiodd Ilid bwysau babi mewn sling, fel y byddai'n ysgafn i ddechrau ac yna'n tynnu ar draws yr ysgwyddau. Yn enwedig os oeddech chi'n gwthio coets ar yr un pryd. Dechreuodd y fam wthio'r swing. Ond doedd y ferch ddim yn hapus: 'Uwch! Uwch!' Roedd ei mam yn dweud rhywbeth yn ôl mewn llais tawel rhesymol ac roedd Ilid yn nabod y llais yna'n dda hefyd, y llais 'Mae pobol yn gwrando arnaf, rhaid i mi ymddwyn yn gall'.

Efallai fod y ddynes wedi gofyn iddo beidio â gwthio, a'i fod yntau wedi mynd i hwyl herio. Ac wrth gwrs, *mi* ddylai wybod yn well. Efallai y byddai tafod y ddynes ddiarth yn ei ddeifio fel na allodd ei hun hi ei wneud.

Dacw hi'n anelu am ben draw'r maes chwarae, ar ei ffordd allan, diolch byth. Y ferch fach yn tynnu yn ei llaw, yn anfoddog. Caeodd y giât ar ei chyfle i edliw, i ffraeo, i focsio'n gyhoeddus dros ei hogyn bach.

– Fasat ti'n lecio mynd ar y swing, Deio?

Ysgwyd ei ben wnaeth o. Roedd cryndod yn dal ynddo.

– Awn ni i nôl Maia 'ta, a chychwyn am y caffi i gal eis-crîm.

Ond wrth basio'r swings newidiodd ei feddwl, a dringo i mewn i un. Taflodd Ilid ei hun i'r busnes o'i wthio. Crynodd cadwynau haearn y swing.

– I ffwrdd â chdi! Tyd, gwaeddodd, – plyga dy goesa, nôl a mlaen, a gwthio efo dy gefn.

Gwnaeth Deio ymdrech fawr, a dechreuodd y swing symud dan ei bwysau ef.

– Da iawn chdi! Ti bron iawn â mynd ar dy ben dy hun!

Sŵn igian; y crio'n troi'n chwerthin yn ei wddf.

*   *   *

Maia sylwodd fod y peiriant ateb yn fflachio. Aeth i wrando ar y neges, a daeth yn ei hôl yn sionc.

– Mam! Deio! Ma' Dad yn dod adra heno. Mae o ar 'i ffordd.

– Dwi isio i Dad roi fi yn 'y ngwely heno.

– Gawn ni gêm efo'n gilydd? 'Dan ni ddim wedi cal un ers *blynyddoedd*.

– Ella . . .

Roedd y ffôn yn canu. Mi fetia i unrhyw beth, meddai Ilid wrthi ei hun, mai fo sy 'na rŵan yn canslo. Gwelodd yr un anniddigrwydd yn llygaid Maia hefyd. Deio aeth i ateb.

– Helô? O, Tudur, chdi sy 'na.

Chwythodd ochenaid fach o ryddhad o'i hysgyfaint. Er, a dweud y gwir, fod meddwl am weld Arun yn cynnau fflam fach o nerfusrwydd ynddi. Roedd ganddi'r swydd i sôn amdani, i ddechrau. Ond yn fwy na hynny roedd rhaid iddi drio . . .

– Mam, ma' Tudur isio gair efo chdi.

(I ddweud pryd y dôi yn ei ôl, mae'n debyg.)

– Helô. Sut mae'n mynd?

– Iawn, 'sti.

Roedd rhywbeth o'i le, mi glywai o yn ei lais. Ddylai hi holi a oedd o wedi cael cyfle am sgwrs efo'i mam ne'i thad?

– Tudur . . .

– Ilid, sori, ond mae'n rhaid i mi fynd, cofia.

– Ond be – pam 'nest di ffonio?

– Mynd adre, dwi'n feddwl. Mynd yn ôl.

– Yn ôl i America?

Fflachiai 'adre' fel hysbysfwrdd neon yn ei phen.

– I Boston, ia.

– Ond . . .

– Gwaith yn galw.

Wnaeth hi ddim trafferthu gwrando ar ei lith am ryw ddarlithoedd yr oedd yn rhaid iddo eu paratoi. Be oedd wedi digwydd? A oedd Paul yn sâl? O God, *Aids*. Efallai ei fod yn bositif, yn ddifrifol wael, yn dirywio o flaen llygaid ei brawd. Ond mi fuasai wedi crybwyll rhywbeth, siawns . . .

– A deuda wrth Maia a Deio bod yn ddrwg iawn gin i. Wyddai hi ddim am be, chwaith.

– Ddoi di ddim yma, felly?

– Na. Na, mi a' i'n syth i Heathrow.

Roedd hi ar fin rhoi'r ffôn i lawr pan ddywedodd Tudur,

– Tyd draw, Ilid. Tyd â'r plant. Ag Arun os daw o. Mi anfona i bres.

– Ga i weld, ia?

Rhoddodd Ilid y derbynnydd yn ei le, ond gan ddal i sefyll uwch ei ben yn brathu ei hewinedd. Oedd o *wedi* dweud? Fu yno ffrae? Oedd y cyfan wedi ffrwydro yn ei wyneb? Sylweddolodd fod ganddi lun o Tudur yn ei meddwl: yn peintio yn yr ardd yn Llannerch, cartref ei mam. O, mae'n rhaid ei bod hithau wedi ypsetio wrth ei weld yn gadael mor ddisymwth.

– Ma-am! Pryd mae o'n dŵad yn ei ôl, Mam? Fory?

O God. Dyma be oedd argyfwng. Roedd Maia wedi gwirioni efo'r syniad o fynd i Hamleys, ac wedi bod yn dewis ei dillad ar gyfer y 'caffi crand'. Y peth gorau fyddai osgoi'r pwnc pe bai modd. Diolch byth fod Arun ar ei ffordd. Teimlai ei bod yn cael byr rybudd o storm fawr, a hithau mewn cwch rhwyfo.

– Na, dim fory. Wyt ti am fynd i'r ffrynt i weld os 'di Dad wedi cyrraedd, pwt?

Daeth Deio i fewn.

– 'Nath o ddeud 'ta ta' wrtha i. Mae o am yrru llythyr i mi ar y cyfrifiadur.

– Na, 'di o ddim. Do's 'na ddim cyfrifiadur yn tŷ Nain a Taid.

– Dim o dŷ Nain a Taid, siŵr. O *America*.

– Ond 'di dim *yn* America rŵan, nadi.

– Mae o'n mynd yn ôl fory, medda fo.

– Na, 'di o ddim. Mae o'n aros efo Nain a Taid am dipyn, a wedyn mae o'n dŵad yn ôl i tŷ ni. A mynd â ni i brynu toi i siop dois fwya'r byd, ac i gaffi grand i gael eis-crîm gora'r byd. Yndê, Mam?

– Ia, cariad. Dyna be oedd o isio'i 'neud.

– Ond mae o'n gorod mynd adra. I America, meddai Deio, gan siglo ar y drws.

– Na 'di!

Doedd yna dim osgoi rŵan. Rhoddodd Ilid y gorau i chwilio am loches a troes i wynebu'r storm.

– Yndi. Mae o'n mynd adre. Roedd yn rhaid iddo fo fynd. Mae'n ddrwg gin i, pwt.

– A 'di o ddim yn dod yn ôl?

– Ddim y tro yma.

– A 'di o ddim yn mynd â fi i Hamleys i ddewis presant?

– Mi ddaw yn ei ôl eto.

– A 'di o ddim yn mynd â fi i gal nicyrbocyr glori?

Ysgydwodd Ilid ei phen.

– Fedar o ddim . . .

Rhythodd Maia arni. Ella y buasai hi'n iawn, yn enwedig os cynigiai . . .

– Mi fedrwn i fynd â chi.

Ond dyma riddfan fel pren yn hollti yn dod o du mewn Maia. Gafaelodd ym mreichiau noeth Ilid mor galed nes eu cripian.

– Na! Na! Na fedri di!

Camodd Ilid yn ei hôl a baglodd Maia yn ei blaen. Taflodd ei hun yn hytrach na syrthio ar ei hyd ar y llawr. Dyma'r dyrnu'n dechrau, efo'i thraed, ei dyrnau, ei thalcen. Syllodd Ilid yn ddiymadferth. Dwi jest â mynd a gadael iddi. Ond dal i sefyll yno a wnaeth, yn sbio ar yr annwyd yn llifo o drwyn Maia ar y pren disglair. O be wna i, be wna i efo hi?

Geiriau wedi eu manglo drwy wallt gwlyb . . . plygodd i wrando.

– 'Nath o – addo! 'Nath o – addo – i mi!

Aeth Ilid i lawr ar un ben-glin.

– Do, ti'n iawn, mi 'nath o addo. Ond . . .

– Ond BE?

Wrth godi ei phen aeth ei llais yn sgrech.

– Chdi 'di'i chwaer o, pam na fasat ti'n deud rwbath wrtho fo? 'Nest ti'm meddwl amdanon ni, naddo?

Teimlodd Ilid ei gwylltineb hithau'n deffro, yn ymestyn a chodi ei ben – yr hen ysfa ddrwg yna'n dechrau cosi – pam ddylai hi ddioddef hyn o achos Tudur, a hithau heb wneud dim byd o'i le, dim ond trio cadw'i bart o? Y plentyn di-sens yma; mi hoffai gnocio tipyn o sens i mewn iddi! Na, na! Edrychodd i lawr a gweld glafoerion siom ar hyd y llawr. Plygodd yn nes at Maia a dweud:

– Dim fy mai i ydi o, Maia. Chwara teg!

Cododd hithau ei phen i watwar ei mam.

– Chwara teg! Chwara teg! Pwy sy'n cal chwara teg? Dach chi'r bobl fawr yn cal gneud be leciwch chi, dim ots gynnoch chi am y plant! 'Nath o ddim hyd yn oed deud ta ta wrtha i! Dim ots gynno fo amdana i!

– O Maia, Maia.

Roedd hi'n beichio crio unwaith eto. Roedd gwylltineb Ilid wedi ei ddiffodd gan y llif o eiriau, ac roedd dagrau'n rhedeg i lawr ei hwyneb.

– O, ma' ots gin i, Maia. Ma' ots gin i, coelia fi. Hen beth sâl 'nath Tudur, ti'n iawn. Hen dro sâl â chi. Ond mae o'n dal i dy lecio di, Maia. Ydi siŵr. Mae o isio i ni fynd i'w weld o, yn America. Chdi a fi a Deio.

Cododd Maia ei hwyneb dagreuol.

– 'Neith o ddim anghofio?

– Wna *i* ddim anghofio. Na, mi wna i'n siŵr na wneith o ddim chwaith.

– Wyt ti'n meddwl bod Dad yn dŵad heno, Mam? 'Ta 'di o 'di anghofio?

– Nadi, 'sti.

Rhoddodd Ilid fwythau ysgafn i'w phen; roedd hi ar ei heistedd rŵan, yn edrych yn debycach iddi hi ei hun.

– Gwranda. Dyna sŵn y car.

*   *   *

I ddathlu chwiliodd Ilid am botel o donic i fynd efo'r jin. Roedd amser te wedi mynd heibio. Daeth o hyd i far mawr o Galaxy ac aeth â fo i Maia a Deio i'w rannu. Roedd Arun a'r ddau ohonynt yn plygu dros jig-so mawr ar lawr y llofft.

– Hei, dowch â thamaid i mi, chi'ch dau! Ches i'm cinio gwerth sôn amdano!

– Tyd i nôl o, 'ta!

– Paid â rowlio ar y jig-so, Dad!

Ond roedd golwg fodlon-oddefgar ar ei hwyneb.

– Mi ddo i i lawr yn y munud, meddai Arun wrth Ilid, gan barhau i reslo efo Deio.

Ymhen rhyw bum munud fe ddaeth.

– Sut wyt ti?

– Gorfoleddus.

Edrychodd yn glòs arni.

– O ddifri?

Cododd hithau ei gwydryn.

– Sbia! Jin i mi a siocled iddyn nhw. Wyt ti am un?

– Be 'di'r achlysur?

– Maia a finna. 'Dan ni newydd gael y storm fwya melltigedig. O achos Tudur.

Cododd ar ei thraed, mynd at y cwpwrdd llestri ac estyn gwydr. Tywalltodd fesur o jin iddo, ac ychwanegu dogn o donic. Safai yntau wrth ymyl y bar brecwast.

– Diolch.

Aeth at y rhewgell ac estyn y blwch rhew.

– Mynd yn ôl i America. Wedi gaddo mynd â nhw ill dau i Hamleys ac i gaffi am nicyrbocyr glori!

Plygodd Arun y blwch rhew arno'i hun nes fod y rhew yn clecian dan y straen.

– Elli di feddwl sut y gwnaeth Maia ymateb pan glywodd hi.

– Mm.

– Mi a'th o'i cho. Rowlio ar y llawr, taro'r llawr efo'i dyrna, gweiddi 'Ond mi 'nath o addo', drosodd a throsodd.

Ochneidiodd Arun.

– Be sy ar y ddau ohonyn nhw?

– Ond gwranda. Mi o'n i o fewn trwch blewyn i golli fy limpyn fy hun efo hi, cal y myll . . .

Edrychodd Arun arni'n ddifrifol; gallai ei weld o'n meddwl. Yn yr ysbaid o dawelwch clywodd Ilid y rhew yn clecian yn y jin.

– Ond?

– Mi lwyddais i beidio. Mi steddais yn ei hymyl hi, a gwrando, a jest gadal iddi gael deud ei deud. Heb drio rhesymu a ballu – dyna dwi wedi'i ddysgu, ella, drwy . . .

Sylweddolodd nad oedd wedi sôn wrtho am Hannah,

heblaw am adael iddo wybod wythnosau yn ôl ei bod yn bwriadu mynd i weld rhywun.

– drwy fynd i weld Hannah.

Gwelodd ef yn archwilio ei gof: ffrindiau, cysylltiadau, cyn-weithwyr, perthnasau. Dylai ddweud wrtho, ond doedd ganddi ddim awydd egluro, amddiffyn ei hun.

– Wel, wyt ti am ddweud wrtha i pwy ydi hi?

– Does gin ti ddim syniad? Arun, dyna ddangos faint wyt ti yma, faint ydan ni'n siarad.

– Honno wyt ti'n mynd ati?

– Hannah ydi fy therapist i.

Roedd o'n siŵr o'i holi rŵan. Sut yr oedd Hannah yn gweithio, ym mha ffordd y bu o help efo Maia, faint o les yr oedd hi'n ei wneud.

– Oes 'na rywbeth arall y dylwn i wybod amdano?

Cam gwag. Dringodd yr ysgytwad annifyr o'i sawdl i fyny ei hasgwrn cefn.

– Wel, mi ges gynnig job heddiw.

– Heddiw? Argol, dwi wedi cyrraedd ar y diwrnod iawn, do?

Llyncodd weddill y jin ar ei dalcen.

– Be ydi hi?

– Job dirprwy.

– Job dirprwy!

Roedd tinc anghrediniol yn ei lais.

– Dwyt ti ddim yn deud wrtha i o ddifri fod rhywun wedi cysylltu â chdi a chynnig swydd fel 'na o nunlle?

– Fi ffoniodd nhw. Fo. Michael Hughes, y boi 'Croeso'n ôl i'r Dosbarth'.

Roedd arni eisiau gwneud yn fach o'r peth, egluro mai dros dro yr oedd y swydd, angen rhywun i lenwi bwlch ar fyr rybudd. A doedd dim wedi ei addo'n bendant . . .

– Ac mi gynigiodd swydd dirprwy i ti?

– Do.

Chwarddodd Arun.

– Mae o'n wir! Mi gei di weld! Llawn amser, dechra yn mis Medi.

– Hei, ti'n meddwl y basa fo'n gweithio i mi? Mi ro i'r gora i 'ngwaith, aros adra i edrach ar ôl y plant a'r tŷ am chwe mlynadd, a rhyw bnawn braf yn y dyfodol mi ffonith pennaeth rhyw Ymddiriedolaeth Iechyd a dweud, 'Dr Kataria, ma' gynnon ni swydd ar eich cyfer. Consyltant. Chi pia hi.'

– Dyna be sy arnat ti, meddai Ilid. – Cenfigen.

Edrychodd yn ddirmygus arno. Sbiodd yntau i wyll ei wydr.

– Sori. Mi ddylwn fod wedi dy longyfarch di.

Er gwaethaf ei siom gwelai Ilid fod crib Arun wedi ei dorri.

– Ma' gin ti flwyddyn i fynd, 'sti.

– Oes, os basia i.

– Mi 'nei di.

Ochenaid i'r gwydr jin.

– Dwyt ti rioed wedi methu 'run arholiad, Arun!

– Naddo. Ond ma' gin i betha ar fy meddwl.

– Ni, ti'n feddwl?

– Ia, ni. Chdi a finna. Y plant – a'u problema.

Cofiodd Ilid am y digwyddiad diflas yn y parc; mi wnâi ei rannu ag Arun yn nes ymlaen. Mewn ffordd mi roedd yn cadarnhau fersiwn Arun o bethau, ac efallai ei bod yn amser iddi hithau gydnabod hynny.

– A . . . a hi.

Rhythodd Ilid arno. Yn syth bìn teimlai bêl o gyfog yn ei gwddf, yn ei hatal rhag dweud gair. Ymhelaethodd

yntau ddim, dim ond chwarae efo'i wydr ar y bar.
Clywodd y ddau fiwsig y Simpsons yn gorffen.

– Wsnos. 'Na'r cwbwl mae o 'di bara. Ond fedra i'm
deud . . . fedra i'm deud be mae o'n olygu.

– Mi ddoist yma i ddeud?

– Do, am wn i, ond d'wn i'm pam chwaith . . .

Roedd Ilid wedi cofio rhywbeth a chlywed sŵn
traed.

– Wyddat ti fod Tudur fy mrawd yn hoyw?

A rhedodd allan i'r ardd i grio.

*　　*　　*

Cyn i Ilid gael gwybod ei henw, bu raid iddi ddarllen
Tomos y Tanc a'r Goeden Nadolig a chwarae
'Teuluoedd Dedwydd'. Doedd ganddi mo'r galon i
wrthod Maia. Hi gollodd; doedd fawr o siâp ar ei
theuluoedd. Maia enillodd, tra sbiai Arun yn bryderus ar
ei wraig dros ymyl ei gardiau, a phwdodd Deio am ei
fod yn drydydd.

– Ond dim ots, Deio, datganodd Maia'n llon – Mam
oedd y ddiwetha un!

– Dowch am y bàth, chi'ch dau, fi sy'n rhoi chi yn
eich gwlâu heno.

Pan ddaeth o i lawr y grisiau o lech i lwyn yn y
diwedd roedd y cysgodion wedi cripian i fewn i'r gegin,
ac roedd Ilid wedi ail-lenwi ei gwydr efo jin fwy nag
unwaith. Aeth i ben draw'r stafell a phwyso ar y stof.

– Reit, cyn i ti ofyn. Doctor sy'n gweithio efo fi. Ac
o'i hochor hi ddechreuodd y peth.

– Y Shama 'na!

– Sut wyt ti'n gwbod?

– Ti wedi sôn amdani, unwaith ne ddwy!

– Ydw i?

Roedd o wedi synnu; mi wnaeth yn siŵr ers misoedd nad oedd o'n crybwyll ei henw.

– Do!

Roedd yr enw wedi cydio ym mieri ei hamheuon yn syth bìn.

– Wel, ti'n gwbod rŵan. A 'di'r peth ddim wedi para . . .

– Ond wneith o? Pam y doist ti yma i ddeud wrtha i? Be wyt ti'n ei ddeud, Arun? Dy fod di wedi cychwyn carwriaeth, a'i bod hi ar ben rŵan? Dy fod wedi cychwyn rhywbeth sy ddim ar ben? Dy fod di'n fy ngadael i?

Roedd hi'n crynu rŵan, fel petai pob cwestiwn yn cynrychioli tynnu dilledyn a hithau'n noeth o'i flaen. Ac roedd tosturi yn ei lygaid wrth droi tuag ati:

– Dwi ddim yn gwbod, Ilid.

– Dyna'r cwbwl fedri di ddeud?

– Ar y funud, ia. Rhaid i mi gal amser i feddwl – tydi hi ddim am i ni orffen, a 'dan ninna 'di bod fel hyn ers . . .

Chlywodd Ilid ddim mwy. Fe foddwyd popeth mewn ffrwydrad a chwydodd ludw llosg dros ei wyneb llyfn, cyfarwydd a'i gorff fu mor annwyl a phob blydi dim o'i eiddo. Gadawodd iddi ei ddyrnu.

*   *   *

Yn ei llofft, bu'n syllu ar ei slipars am hir. Cofiodd fod ganddi apwyntiad efo Hannah am hanner dydd ddydd Mawrth nesaf. Roedd yn rhaid iddi ei gweld. Tybed, pe daliai hi'r trên ben bore o Fangor, a fedrai hi fod yno?

11

Peth rhyfedd oedd syllu ar oleuadau ôl y trên yn diflannu wrth iddo nadreddu ei ffordd allan o Euston. Doedd hi ddim wedi colli trên mewn modd mor ddramatig ers blynyddoedd. Edrychodd y dyn tocynnau arni'n brudd efo'i lygaid tywyll.

– Sorry, love.

Nodiodd ei phen gan droi i ffwrdd. Be wnâi hi rŵan? Wrth gwrs mi fedrai fynd yn ei hôl: tacsi, ac mi fyddai'r broblem drosodd mewn chwinciad. Ond stryffaglai yn erbyn hynny. Na, mi gâi'r diawl weld ei cholli am unwaith. Aeth i astudio'r bwrdd hysbysebion: roedd mwy o le gwag na phrint arno.

11: 23: Glasgow
11: 52: Milton Keynes Central
00: 02: Birmingham New Street (Change for Shrewsbury, Nottingham)

Shrewsbury! Dyna lle roedd y gwasanaeth i Aberystwyth yn cychwyn, mi gâi newid ym Machynlleth a dyna hi – yr holl ffordd adre! Dim angen i neb ei nôl hyd yn oed.

Hanner awr a chwpaned o goffi chwilboeth yn ddiweddarach syllai drwy'r ffenest ar Lundain yn cael ei gipio ymaith. Queen's Park. Wembley. Hemel Hempstead. Roedd y sedd 'fel cardbord. Symudodd i'r un agosaf ati ond doedd honno ddim gwell. Nid oedd y bwrdd o flaen pob un yn help i wneud eich hun yn gyffyrddus chwaith. Ceisiodd ymestyn ei choesau; dim digon o le. Penderfynodd dynnu ei sandalau a rhoi ei thraed ar y sedd gyferbyn. Siawns y byddai'r condyctor un ai'n glên neu'n ddi-hid ar wasanaeth mor hwyr â hyn.

Tai yn troi eu cefnau tuag ati, yn dangos eu gerddi pitw efo sleid a swing, eu byrddau plastig, eu blerwch, eu chwyn. Cofiodd am dad Arun yn dweud, pan ddaeth o drosodd adeg y briodas:

– Methu dallt ydw i pam fod pawb yn ista yn 'u gerddi cefn. Yn yr ardd *ffrynt* y bydd pawb yn ista adra.

Roeddynt wedi chwerthin. Ac meddai Arun wrthi hi yn nes ymlaen:

– Dwi'n gwbod yn iawn sut mae o'n teimlo, 'sti. Heblaw amdanat ti, faswn inna ddim yn dallt pam chwaith.

'Heblaw amdanat ti.' Hi oedd wedi ei roi ar ben y ffordd; wedi caniatáu iddo weld tu hwnt i du blaen tai a phobol. Sut yr oedd pobol yn siopa, bwyta a threulio eu bwyd; be oedd ystyr te a choffi; sut i dderbyn a gwrthod heb wneud i bobol ysgwyd eu pennau yn ei gefn. Doedd dim dwywaith nad oedd drysau yn yr ysbyty wedi agor iddo wedyn. Ella ei fod fel gweld tŷ a'r wal ffrynt wedi ei rhwygo allan gan jac-codi-baw neu fom. Hei! Dyna be oedd hi yn ei fywyd. Gofalwraig y drws. A bom. Achos be oedd wedi mynd, be oedd wedi ei chwythu allan o'i feddwl gan adael uffern o grater mawr ar ôl? Ei fwriad o fynd yn ôl i India, yn ôl adre.

Roedd ei llygaid yn llosgi rhwng crio a blinder. Rhoddodd ei boch ar y fformica oer a chau ei llygaid. Deffrodd a'i gwddw wedi ei droi yn giaidd. Edrychodd ar ei wats: pum munud i un. Roedd y cerbyd yn wag, a'r goleuadau'n wan. Pryd oedd y trên yma'n mynd i gyrraedd Birmingham? Roedd o wedi stopio mewn sawl stesion ddychmygol yn barod. Ella na fyddai'n cyrraedd tan i'r wawr dorri – byddai hynny'n fendith mewn ffordd. Po hwyra, gora oll. Go brin fod yna obaith am drên i Shrewsbury am un o'r gloch y bore.

Yn y stafell aros roedd y seddi oren a'r golau yr un mor galed â'i gilydd. Dim ond un dyn arall oedd yno heblaw hi, teip digon di-liw mewn siaced las a gwaelod y llawes wedi dechrau raflio. Ella ei fod o'n cysgu yno bob nos. Na, roedd ganddo fag wrth ei draed. Wedi colli cysylltiad oedd o, debyg, fel hithau. Bu'n ceisio darllen rhyw hen bapur newydd, meddal am rywfaint; roedd digwyddiadau swbwrbia Birmingham yn eitha difyr am hanner awr, y Solihull Players yn llwyfannu *Waiting for Godot* yn llwyddiannus iawn (biti am y gynulleidfa fechan), hen wraig a phlentyn wedi eu hanafu yn yr un man croesi. Pump oed oedd yr hogyn bach, a doedd yr erthygl ddim yn dweud a oedd yna rywun efo fo ar y pryd. Dechreuodd boeni am Deio, un drwg am redeg i'r lôn pan fyddai wedi cyffroi. Ond buasai Arun yn ofalus iawn efo pethau o'r fath . . . o God, roedd ei phen-ôl yn brifo. Fedrai hi gysgu ar ei heistedd ynte fentrai hi orwedd ar ei hyd ar ddwy neu dair sedd? Beth am y dyn? Biti na fuasai hi'n gwisgo trowsus, ond mi oedd y sgert yn un llaes. Ar ôl codi ei choesau, gosododd y sgert yn ofalus drostynt, a rhoi ei bag llaw dan ei phen.

Deffrodd yn chwys oer, gan deimlo bysedd yn crafangu rhwng ei chluniau. Methodd yn lân ag agor ei cheg i weiddi, dim ond fferru. Llwyddodd ar ôl eiliad fel lastig i droi ei phen a gweld – neb! Lle roedd o? Roedd hi wedi gwichian, ond daliai'r dyn i bendwmpian yn y pen draw. Cododd yn stiff ar ei heistedd. 4:07. Gwyliodd y cloc. Teimlai tu hwnt i wlad pobol go iawn, fel sipsi, fel petai ganddi ddim hawl i fod yma. Mistêc oedd peidio â mynd i chwilio am hotel. Buasai wedi medru cymryd tacsi! Feddyliodd hi ddim am hynna, dim ond am strydoedd gwag ganol nos. 4:10. Pryd yr agorai'r bwffe? Am bump? Chwech?

Doedd trafaelio ddim i fod fel hyn. Ond dyma sut oedd o i bobol oedd yn ffoi, yn trafaelio heb fod o ddewis. Dim hwyl mynd ar holides, dim arian, dim papurau mewn trefn.

Heddiw roedd Tudur wedi mynd yn ei ôl i America. Ddoe, erbyn hyn. A heddiw y byddai hithau'n cyrraedd efo'i phac hithau o helyntion.

*   *   *

Ben bore dringodd i drên Shrewsbury, efo dyrnaid o bobol ar eu ffordd i'r gwaith, dynion gan mwyaf. Be oeddan nhw? Dynion llefrith, postmyn, gyrwyr bysys efallai. Roeddynt i gyd yn edrych fel petai eu llygaid heb agor yn iawn. Roedd yna un wraig drom ganol oed mewn siwt las golau, yn dal papur newydd yn ei llaw. Eisteddodd yn ei sedd a'i agor yn swnllyd, yna bwrw i'w ddarllen. Teimlai Ilid yn genfigennus ohoni, yn ei byd trefnus.

Wrth basio bloc o fflatiau gwelodd fraich yn cydio yn y llenni ac yn eu tynnu'n ôl, a theimlodd ei bod wedi cyffwrdd â chlais mawr tendar. Wel, fyddai Arun ddim yn deffro ar ei ben ei hun yn y fflat heddiw. Camgymeriad oedd cytuno iddo gael cymryd hwnnw. Lle iddo fo ei hun, wir! Ynys o dawelwch! Na, lle bach snec i gyfathrachu, ym mhob ystyr, oedd y blydi lle wedi bod. Fel tasa gynno fo ddim digon o lonydd yn barod. Roedd ganddo'i waith, lle dihangai am oriau a dyddiau bwygilydd! Be oedd ar ei phen hi yn gadael iddo gael *mwy* o le, *mwy* o lonydd, a hithau heb le yn y byd? Heb le yn y byd i fod yn rhywun arall.

Gwelodd ei hun mewn siwt lwyd-arian yn siffrwd i lawr y coridorau.

Roedd cael dal trên Aberystwyth yn ollyngdod pur. Setlodd mewn cornel. Roedd ei sgert yn rhychau i gyd. Sgert y sipsi, yn rhy liwgar a diarth i stesion Shrewsbury ar fore cynnar o haf, yn datgan llawenydd a *bravura* er bod llinellau tyn ar wyneb y sawl a'i gwisgai. Ond roedd pob dim yn iawn. Dyma hi'n ddeg o'r gloch parchus, dyma hi wedi dod drwyddi. Rhoes ei phen ar ei hysgwydd a mynd i gysgu'n syth.

– Rhywbeth i yfed, Madam?

Cymerodd goffi a brechdan gaws. Buasai bara menyn plaen wedi bod yn well ganddi, ond doedd hynny ddim ar gael, a fedrai ei stumog ddim wynebu cacen. Sipiodd y coffi – roedd ogla da arno – a gwleddodd ar ysblander y wlad. Gwe pry cop yn berlau gwlith yn y mieri, mwyar duon yn dechrau cochi dan edrychiad taer yr haul. Roeddynt yn siŵr o fod wedi croesi'r ffin erbyn hyn – rhaid mai bryniau Powys oedd rheina. Ffrwydrodd popeth hafaidd a pharadwysaidd ym mhenglog Ilid – cerdded llethrau Eryri! Clycha sgwarnog a botwm glas yn y cloddiau! Glan môr! Dail y coed yn ymbelydrol o wyrdd. A'r cyfan yn ei meddiant hi. Ni fedrai gau ei llygaid eto: arhosent yn agored fel rhai dol, wrth iddynt groesi gwlad Powys ac wedyn troelli'n araf i lawr arfordir Gwynedd. Roedd hi fel dynes wedi cael uffar o sesh y noson cynt, wedi dod dros y stumog giami a'r cur pen i werthfawrogi harddwch bregus, gwerth-chweil y byd.

ei ddweud? Roedd hi'n hoff iawn ohoni, ond roedd ei thafod yn ddiarhebol.

– 'Di dy un di ddim hanner gymaint â hwn! Ti am fy meddwi fi, yn dwyt. A finna isio wynebu Dad a Mam.

– Na, trio peidio cal gormod fy hun dw i.

– O?

– Ia. Waeth i ti gal gwbod ddim. Dwi'n disgwl. Ydw, cofia.

– Siani!

Chwarddodd Siani.

– Be sy? 'Do'n i ddim i fod i gal dim mwy?

– Wnes i'm meddwl y basat ti, a'r genod yn mynd yn hŷn . . .

– ac yn gallach, ac yn cysgu drwy'r nos, ers hydoedd. Dwi'n gwbod.

– O'n i'n meddwl ych bod chi wedi gorffen eich teulu.

– Sut gwyddost di mai dim damwain oedd hi?

Herciodd gwddw Ilid i fyny.

– Wel – gan dy fod di 'di deud – damwain *oedd* hi?

– Dim yn union. Rhyw ddechra mynd yn flêr, 'sti. Efo dyddiada a ballu. Hynny a gweld andros o hogyn bach selog yn Sioe Pasg.

– O Siani!

– Chdi a dy 'O Siani'. Mi o'n i'n ama basa Gerallt yn lecio cal hogyn. A mi welson ni'n dau yn hogyn bach 'ma'n ista ar ben tractor. Maen nhw'n betha mor ddel, hogia bach.

– O, mi wn i hynny.

Arun fyddai'n derbyn sws Deio reit ar ei wefusau heno eto.

– A *ma*'r genod yn tyfu i fyny. Ddim fy angan i 'run

189

fath. A bod yn onast, o'n i'n dechra meddwl y basa raid i mi chwilio am waith.

– Ond dim rŵan.

– No we. Dwi'n *lady of leisure* am chwe mis tan nes geith hwn ei eni . . .

– Mi all fod yn 'hon' . . .

– Ac wedyn mi fydd 'na waith magu am flynyddoedd cyn yr eith o i'r ysgol. Wyt ti am rwbath i fyta, Ilid? Dwi'n cal y llwgfa uffernol 'ma.

– Dwi'n cofio hynna.

Gwenodd y ddwy ar ei gilydd.

– Ma' gin i gacan jocled yn y cwpwrdd 'na a dwi'n gneud panad i fynd efo hi, i mi beth bynnag. Croeso i ti fynd yn *continental* a chal d'un di efo martini arall!

*   *   *

Yn nistawrwydd cegin Bryn Hudol roedd gwadnau sandalau Ilid yn diasbedain ar y teils.

– Mam!

Dim ateb. Gollyngodd y bag yn swp ar lawr; daeth ochenaid o'i grombil wrth i'r ochrau gau ar ei gilydd fel consertina. Aeth Ilid at y ffenest gefn ac edrych drwyddi i'r ardd. Dyna lle roedd hi, yn siŵr o fod. Er nad oedd hanes ohoni i'w weld. Doedd hi ddim ar y lawnt, ond roedd hi'n anodd gweld rhwng y coed a'r llwyni yn y berllan. Agorodd ddrws y cefn a mynd allan. Croesodd y patsh gro. Fel pob tro, ymwthiodd dwy neu dair carreg fach o dan ei sodlau. Crensian cyfarwydd.

Aeth Ilid reit at ei hymyl heb iddi godi ei phen. Wrthi'n ddyfal yn hel cyraints duon yr oedd hi.

190

Gwyliodd Ilid y dwylo coch, eitha chwyddedig yr olwg (Pam? Mi ddylai holi.) yn pinsio'r botymau bach meddal oddi ar y brigau, ac yn dod ag ambell sypyn i ffwrdd yn gyfan.

– Mam.

Trodd Grace ei phen ac edrych i fyny arni.

– Ilid, chdi sy 'na. Diolch byth.

Sythodd. Teimlodd Ilid bwl o euogrwydd.

– Mi ddeudodd Siani'ch bod chi'n fy nisgwl i.

– O, fanno fuost di?

– Ma'r Nant yn nes. Cerdded o'r bỳs wnes i.

– Isio i ti ffonio oedd, i adal i ni wbod. Mi fasa dy dad wedi dod i dy nôl di o'r stesion.

– O, doedd o fawr o draffarth, 'chi. Am unwaith.

– Gest di bàs yma gynni hi?

– Do, i ben y lôn. Mi oedd Siani isio mynd i Bryncir, beth bynnag.

– I be, dywad?

– D'wn i'm. Ddeudodd hi ddim.

– Ma' hi fel gafr ar drana, yn crwydro i rwla bob munud.

Anesmwythodd Ilid. Roedd yn gas ganddi pan fyddai ei mam yn rhedeg ar Siani, a doedd arni ddim eisiau cychwyn fel hyn.

– Ella'r arhosith hi adre fwy ar ôl i'r babi 'ma gyrraedd.

Dychrynodd: efallai nad oedd Gerallt a Siani wedi sôn am y babi eto.

– Na 'neith wir, 'nath hi ddim efo 'run o'r lleill. Mi o'n i'n ama.

O'r nefoedd, doedden nhw ddim wedi dweud, felly. Dyma hi wedi achosi i Siani bechu eto.

– Ma'n siŵr, meddai, – 'i bod hi'n cal profion a ballu, a dim isio deud llawer nes iddi gal y canlyniada.

– Dim peryg. Deith hi ddim ar gyfyl nodwydd. Diolch i'r drefn nad ydi hi ddim yn ddeiabetig, dyna be ddeuda i. Wel, mi fasa raid iddi ddygymod wedyn, basa.

– Ond . . . ma' hi'r un oed â fi, tydi, os nad flwyddyn yn hŷn. Ma' pawb dros dri deg pump rŵan yn cal cynnig 'amnio' – ac o 'styried y posibilrwydd . . .

– Wyth ar hugain oed o'n i'n cal Tudur, meddai Grace. – Meddwl basa cacan gyraints duon yn neis i swpar.

Cofiodd Ilid mai cacen gyraints duon oedd ffefryn Tudur. Roedd yn well ganddi hi gacen gwsberis. Arhosodd Grace yn ei hunfan cyn cychwyn am y tŷ.

– Oeddan ni'n poeni braidd, Ilid.

Ar ôl i'w mam fynd yn ôl i'r tŷ bu Ilid yn crwydro yn yr ardd. O diar! Doedd hi ddim wedi rhag-weld hyn, yr edliw, yr euogrwydd. Pam na fuasai Arun wedi gadael iddi gyrraedd yn ei hamser ei hun, heb godi dychryn ar ei rhieni? Roedd ei sgwrs efo Mam mor anesmwyth ag erioed, yn hercian o un peth i'r llall yn llawn o gamddealltwriaeth. Ac os oedd hi am grybwyll pethau cymhleth! Rhoddodd Ilid ei law ar foncyff hen goeden afalau. Teimlai'r rhisgl yn gynnes dan ei bysedd, y plisgyn croen yn llyfn. Serennai ambell foch goch o'r canghennau uwch ei phen. Fala Awst oedd rheina, efo cnawd melys gwyn, lliw arian bron. Roedd siapiau hirgrwn, melynfrown i'w gweld yn y goeden ellyg hefyd. Roeddynt yn ffrwytho'n dda, o hen goed. Rargian, roedd yma lawer o lwyni ffrwythau, tu ôl i'r coed. Gwsberis, cyraints duon, cyraints cochion, coed mafon yn rhes dal, a rhywbeth nad oedd hi'n ei nabod yn tyfu ar hyd top y wal gerrig, a'i cheirios ysgarlad yn hongian yn hirlipa swrth. Cymerodd Ilid un ohonynt rhwng bys a bawd, agor ei cheg a'i blasu. Melys. Tinc bach o riwbob.

Roedd hi'n rhyfedd bod adre heb y plant. Teimlai ei hun yn ysgafnach a theneuach hebddynt, yn nes at y ferch ysgol a fu, yn llances. Medrai lithro drwy grac yn y drws. Ond, ar y llaw arall, doedd dim soletrwydd yn perthyn iddi. Yn fam, roedd hi'n gwmpasog ac yn cymryd lle. Yn Ilid, doedd hi'n ddim o beth. Dylai fynd i gynnig help llaw i'w mam yn y pantri.

Roedd hi wrthi'n tynnu plisgyn wy.

– Salad. Wrth 'i bod hi'n boeth.

Rhoddodd yr wy ar blât a rhedeg dŵr oer dros y letys. Sblashiodd hwnnw nes i Ilid dderbyn sbrê bach ar gefn ei llaw.

– Ia wir, syniad da.

Ond doedd salads Grace byth yn syniad da. Byddai'r letys yn wlyb a'r côrnd bîff yn gynnes. Llond desgl o giwcymbyr wedi ei dorri'n flêr a chwarteri tomato. Fentrai hi gynnig gwneud *salad dressing*? Sodrodd Grace y letys mewn dysgl wydr. Edrychai'n afiach o wyrdd leim.

– Symud o'r ffordd, Ilid, i mi gal gloywi'r tatws 'ma.

– Sori. Tatws newydd?

– O Hendre Ganol. Twm ddoth â bagiad bora 'ma.

Mi fyddai rheini'n flasus o leiaf. Llen o angar wrth i Grace godi'r mymryn lleiaf ar y caead i adael i'r dŵr lifo allan.

– Be 'nei di? gofynnodd Grace a'i chefn at Ilid.

– Y?

– Ydi o 'di mynd?

Gosododd y tatws i fygu wrth ochor y sinc.

– Wel nadi siŵr, efo pwy ddyliech chi ma'r plant?

– Ia, ond 'di o *yn* mynd?

– D'wn i'm.

Roedd hi wedi cyfaddef rŵan.

– Be 'nei di, os eith o?

– Dach chi ddim am ofyn i mi pam 'i fod o'n – sut yr aeth petha fel hyn?

– Meddwl amdanat ti dw i. A'r plant bach 'na s'gin ti.

– S'dim isio i chi boeni amdana i. Dwi 'di cal cynnig job. Job dda. A beth bynnag, mi dalai Arun. Fasan ni ddim yn diodda.

Swniai'n chwerthinllyd, yn ymateb blêr ac ymhongar i gwestiynau blêr ei mam yn rhwygo drwy ddeunydd brau eu perthynas.

– Wyddost di ddim be ydi o, Ilid, bod ar dy ben dy hun efo plant.

– Mam! Mi dwi ar fy mhen fy hun efo'r plant bob diwrnod ers hannar blwyddyn ne fwy!

– Dim dyna be dwi'n feddwl. Mi o'dd o'n dal i ddŵad adra.

– Rhywfaint.

– Gweitia di nes bydd gynno fo ddau deulu. Wedyn fydd yr esgid yn gwasgu.

Roedd y myll yn crynhoi tu mewn i gorff Ilid, yn chwyddo wrth i furum paldaruo ei mam gael ei effaith. Iesu gwyn, lle roedd hi'n cael y pethau 'ma, o lythyrau yn *Woman's Weekly*? Eu stwnshio i wneud potes o ragfarnau? Ond wnâi hi ddim colli ei thymer! Ysai am droi ar ei sawdl a mynd allan i'r gegin, neu ddianc i'r ardd.

– Mam. Be wyddoch chi am Arun? Fasa fo ddim yn gneud tro sâl â fi a'r plant! Dwi'n ei nabod o!

– A dwi inna'n nabod dynion!

Nefi blw. Lle cafodd hi hynna? Ond mi oedd yna rywbeth yn tynnu yng nghornel ei llygaid hi, rhyw ronyn o wybodaeth allan o'i chyrraedd.

– Wyt ti am osod y bwrdd, ynte wna i?

– Mi wna i.

Ei dwylo'n crynu ymysg y cyllyll a'r ffyrc. Doedd hi ddim wedi gofyn un dim am y job. Fory, mi ffoniai Michael Hughes. Wyddai hi mo'r rhif ond mi gâi afael arno.

Agorodd y drws cefn a mynd allan am lwnc o lonydd cyn swper. Cerddodd yn gyflym o gwmpas y lawnt. A hi oedd wedi gadal, dim y fo! Wedi ei adael o i chwilio am sgidia a gwneud cannoedd o drefniadau efo nôl a danfon.

Mi fedrai adael o ddifri. Gadael y tŷ a chwilio am fflat. Pwy oedd yn dweud fod rhaid iddi aros adre?

– Ilid! Ma' dy dad yn 'i ôl. Tyd at y bwrdd.

Dychwelodd i'r tŷ. Doedd hi ddim wedi gwneud *salad dressing*.

– Dad.

– Duwcs, Ilid.

Edrychai'n fwy plês na syn, fel petai'n arfer ganddi bicio draw ambell nos Sadwrn am swper.

– Glywson ni bo' chdi ar dy ffordd.

– Do.

– Wyt ti 'di ffonio adra i ddeud bo' chdi'n iawn?

– Mi adewais negas.

Aeth ei thad drwodd i'r pantri i olchi ei ddwylo. Cafodd Ilid ychydig o drafferth i glywed ei eiriau dros sŵn dŵr yn rhedeg.

– Poeni fyddan nhw ella, 'sti.

Nhw. Y plant. Heb fod oddi wrthi am fwy nag un noson erioed. Maia ar ei swing yn pendroni, yn ei beio hi ei hun efallai. Dim ond wedi meddwl am Arun a hithau yr oedd hi, am eu gollwng yn ei lin o a throi ei chefn. Fel hyn yr oedd mamau'n gadael eu plant, yn gwneud parsel ohonynt – a'i bostio at rywun arall? A chychwyn ar siwrnai newydd.

– Ar ôl swpar, meddai Grace, gan osod y tatws a'r ddysgl fenyn ar y bwrdd.

Ond doedd hi ddim eisiau clywed eu lleisiau chwaith, gwneud y cysylltiad poenus yna.

*   *   *

– Trio penderfynu ydw i, meddai Ilid wrth ei thad pan oeddynt ill dau'n sipian eu paneidiau a Grace yn golchi'r llestri, – p'run 'ta cymryd y job 'ma ges i ei chynnig ai peidio.

– O ia?

Cododd ei lygaid o dudalennau'r *Herald* am eiliad.

– Ia, y peth ydi, ma' hi'n job dda, ond llawn amser. A'r plant, mi fasa raid i mi 'neud trefniada . . .

Tudalennau'r *Herald* yn clecian.

– Yn lle ma' hi? Y job?

– Dwi'm yn gwbod. Yn Greenwich yn rwla.

Pam mai dyna'r unig beth oedd o eisiau ei wybod? Doedd ganddi ddim awydd trafod y peth dim rhagor. Beth bynnag, roedd hi wedi penderfynu.

– Dwi am fynd i 'ngwely.

– 'Di blino ar ôl dy siwrna.

Nodiodd ei phen. Be fasa fo'n ddeud tasa fo'n

gwybod amdani'n ista yn stafell aros gorsaf Birmingham drwy'r nos? Safodd yn y drws a'i llaw ar y dwrn.

– Ma' hi'n job dda, wyddoch chi. Sefyll i mewn dros ddirprwy.

Edrychodd i fyny, a'i lygaid wedi cyffroi o'r diwedd.

– Ydi hi wir? Wel da iawn chdi, Ilid.

Ddylai hi aros i siarad, fel y gwnaeth hi efo Tudur? Efallai mai dyma ei chyfle i gael un o'r ddau i ddeall, o leiaf.

– Nos dawch, 'rhen hogan.

Deffrodd ynghanol y nos – tua thri, barnai yn ôl ansawdd y tywyllwch. Roedd hi'n dal yn dywyll, ond roedd y düwch wedi dechrau pylu. Roedd hi wedi cofio am dad Mam. Fo oedd yn ffarmio Llannerch. Ailbriodi wnaeth o. Ar ôl i'w wraig gyntaf farw. Hi oedd mam ei mam, ei nain go iawn hi. Hi oedd wedi ei chladdu ym mynwent Cricieth? Gwelai hi ei hun yn fach, yn boeth, ac yn swnian am eis-crîm. A Mam yn plygu dros ryw bot blodau ac wrthi'n gosod blodau oren ynddo. Yn gorfod mynd i ben draw'r fynwent i chwilio am ddŵr.

Cododd ar ei heistedd. Ond faint oedd oed ei mam pan fu farw ei mam hi? Doedd ganddi ddim syniad. Mi ddylai wybod rhywbeth fel'na. Fedrai hi ofyn? Roedd pob cyfathrach mor anodd, fel tynnu sialc ar hyd fwrdd du gwichlyd. Oedd Tudur wedi llwyddo i ddweud unrhyw beth rhwng clecian yr *Herald* a sisyrnu'r gwellau?

Câi job i fynd yn ôl i gysgu. Roedd y llofft yn fyglyd, oglau hen sent a dillad wedi llwydo – a hanner coronau, dimeiau a ffarddings, pres erstalwm, pres oedd gan Taid a Nain ar y bwrdd gwisgo yn eu llofft nhw yn Llannerch. Pan oedd Gerallt a hithau'n mynd am dro rownd y llofftydd, yn slei bach. Rhyfedd meddwl am

Nain arall. 'Mam' oedd ei mam yn galw Nain Llannerch, yntê? Ni fedrai gofio. Roedd hithau fel mam fach i'r pedwar plentyn a anwyd o'r briodas yna, Anti Nansi ac Yncl Guto, Mair ac Olwen. Doedd Ilid erioed wedi galw 'anti' ar y ddwy ieuengaf hyd yn oed.

Cododd a mynd at y ffenest, a'i chodi cyn belled ag yr âi. Daeth chwa hyfryd o wyddfid i lenwi ei ffroenau. Dim ond gardd fechan oedd yna o flaen y tŷ, ac roedd Grace wedi gosod llwythi o blanhigion i ddringo'r waliau, *Virginia creeper* a chlematis piws, blodyn angerdd a gwyddfid pinc. Roedd yna hefyd jeraniyms a phansis mewn crochanau a thecellau diwaelod, a rŵan roedd arogl y rhain i gyd yn llenwi'r nos.

Siani'n disgwyl. Bol mawr balch. Babi. Clytiau. Mynd am dro efo'r goets. Bwydo ar y fron. Medrai deimlo'r gyms bach caled yn tynnu, dirdynnu rŵan. Rompyrs dela 'rioed. Bonet haul *broderie anglaise*. Os am fod yn fam, yna teulu go iawn amdani. Llond tŷ, pob oed. Coetsys a llyfrau piano, caru mawr a chyfrifiaduron.

Gwaith yn galw'n dawel ond yn awdurdodol iawn ar y llaw arall. Gwelai Ilid Mrs Stewart, ar ei ffordd i gyfarfod, efo'i gwallt wedi ei drefnu'n goeth a siwt chwaethus amdani, yn troi ei phen am eiliad ac yn edrych arni hi.

Be ddywedai Hannah? Doedd gan Ilid fawr o amheuaeth mai ar ochr y siwt ac nid y clytiau y byddai. Tybed, meddai Ilid wrthi ei hun, a ydw i wedi aros efo Hannah – gan nad fi wnaeth ei dewis hi wrth gwrs – am ei bod hi'n dangos y ffordd allan o'r dryslwyn yma i mi. Dryslwyn mamolaeth.

*   *   *

Y bore wedyn ffoniodd Sera yn y gwaith, sef Cymdeithas Adeiladu leol.

– Mae Mrs Dafis efo cwsmer ar y funud. Fedrith hi eich ffonio chi'n ôl? Pwy ddeuda i sy wedi galw?

– Ilid. Ilid Bryn Hudol.

*   *   *

– Ffonist di?

Estyn am y moron oedd o; prin wedi eistedd wrth y bwrdd cinio. Ei fraich yn dew gan gyhyrau a'i blew brown yn sgleinio'n euraid.

– Do, yn hwyr neithiwr.

Roedd hi wedi dod i lawr i ffonio'n hwyr er mwyn cael y peiriant ateb, ac wedi gadael neges. Roedd hi wedi ofni y byddai Arun yn dal ar ei draed ac wedi ateb, ond wnaeth o ddim.

– Pawb yn iawn?

Llais ei mam yn siarp wrth iddi dorri'r frestan yn dair rhan.

– Mm.

– Pryd ei di yn dy ôl?

Cyfareddwyd hi gan hyn. Ni allai rwystro'r dicter rhag fflachio yn ei llygaid.

– Newydd gyrraedd ydw i!

– Ond mi fydd raid mynd â chdi i Fangor rhyw ben.

– Na fydd! Mi a' i o Gricieth fel y dois i – ne mi ofynna i i Siani fynd â fi.

– Dim trio deud na fasan ni'n mynd â chdi o'n i, siŵr. Jest trio cael rhyw syniad.

– Syniad o be?

Doedd hi erioed wedi crio wrth y bwrdd bwyd.

199

– Wel, sut mae petha, 'te?

– Pam na fasach chi'n gofyn 'ta, ne dangos rhyw ddiddordab?

– Oeddach chi i'ch gweld yn iawn.

– Welsoch chi monan ni efo'n gilydd 'mond unwaith, am awr ne ddwy, yr holl amser fuoch chi acw.

– Mi siaradoch chi dipyn ar y ffôn. 'I waith o sy, 'te.

– Ilid, chdi fynnodd 'i briodi o!

Roedd Grace yn anadlu'n drwm a'i hwyneb yn goch.

– Mam!

– Grace, dydi hynny nac yma nac acw erbyn hyn!

– Wel ydi siŵr, mae o, Ellis; roedd yr hogan yn benderfynol, doedd waeth be ddeudai neb . . .

– Does gynnoch chi ddim syniad, Mam! Ma' 'na briodasa fel ein hun ni ar hyd a lled y wlad 'ma, y ddau yn dod o wahanol leiafrifoedd, neu gefndiroedd gwahanol . . .

– Ia, ond be dw i isio 'i wbod ydi, ydyn nhw'n para?

Syllodd Grace yn herfeiddiol ar ei merch.

– Achos waeth gin i be ddeudith neb, fod pobol i gyd yr un fath, dydyn nhw ddim. Ma 'na *wahaniaeth*!

Roedd hi'n dal i anadlu'n drwm, fel tarw wedi cyrraedd y giât ar ôl rhedeg ar draws y cae. Roedd ei hwyneb yn biws.

– Iesu, Grace, taw, cyn i ti gal hartan!

Siaradodd Ilid yn dawel.

– Dach chi ddim yn dallt, Mam.

– Ti'n iawn. Dydw i ddim yn dy ddallt di. Mi fynnist 'i briodi o, mi fynnist roi gora i dy waith, a chael y plant – petha bach anwyla 'rioed, paid â meddwl am funud baswn i'n deud gair am y plant – a rŵan dyma chi, bob dim yn ufflon. Ar ôl faint? Saith mlynadd?

– Dim 'y newis i ydi o, Mam.

Dim ond ysgwyd ei phen wnaeth Grace y tro yma, ond o leiaf roedd y porffor annaturiol yn cilio o'i hwyneb. Canodd y ffôn. Symudodd neb am eiliad. Roedd Ilid yn siŵr mai Arun neu'r plant oedd yna. Yna cododd Ellis a mynd i'r cyntedd i'w hateb.

– Ydi, ma' hi. Ew, sut ma' petha? Pawb yn iawn? Dy dad a dy fam yn iawn? Mi alwa i arni hi rŵan, yli. Ilid! Sera!

Diolch byth.

– Sera, helô!

– Feddyliest ti ddim y baswn i'n ffonio'n ôl, naddo?

Tu ôl iddi clywodd sŵn estyn llestri, a chyllyll a ffyrc yn taro. Ymestynnodd ei braich a chau drws y pasej tu ôl iddi. Doedd yno fawr o olau wedyn.

– Na, ti'n un dda am –

– gadw mewn cysylltiad? Wel, 'sai'n anodd bod yn waeth na chdi!

– Sori.

– Duw, waeth ti befo. Dwi 'di arfar efo chdi. Adra wyt ti ar dy wylia? Efo'r plant?

– Na, 'di'r plant ddim gin i'r tro yma.

– Dim plant? Ew, rwyt ti'n *lucky lady*.

– Dwi'n gwbod.

– Biti 'yfyd, mi fasan 'di cal dŵad i barti pen-blwydd Luned. Pnawn fory.

– Fory? Do'n i'n cofio dim. Pump fydd hi, 'tê?

– Ia, pump, cofia. 'Sti be, Ilid, fedra i'm siarad yn hir, dwi ar y cowntar nesa a mae'n brysur yma.

Roedd yn rhaid iddi fachu ei sylw.

– Sera, ym, fydd Luned yn cael sterics o dro i dro? Dwi'n cal trafferth ofnadwy efo Maia weithia. Ma' hi mor *wyllt*, a mor *benderfynol*.

Er mawr syndod iddi clywodd sŵn chwerthin mawr ar y pen arall.

– Tebyg i bwy ydi hi, d'wch? S'dim isio i ti edrych yn bell, Ilid!

Syrthiodd y geiriau'n gawod eira ar ben Ilid. Oer ond yn bur hefyd.

– 'Swn i wrth fy modd cyfarfod, Ilid, ond fedra i ddim, cofia, ma' tad a mam Dafydd a'i chwaer o a'i gŵr yn dŵad draw am swper, efo presanta pen-blwydd Luned. *Duty calls.* Ond ma' nhw'n gwarchod i ni fynd i ffwrdd penwsnos nesa. *Dirty weekend!*

– Braf arnoch chi.

– Ia, 'tê. I Dublin, fedra i'm disgwl. Gwranda, sori na fedra i mo dy weld di, ond diolch yn fawr i ti am ffonio. Paid ti â'i gadal hi mor hwyr tro nesa, ti'n dallt? Pan ddoi di eto, awn ni i lan y môr efo'r plant, ia?

*　　*　　*

Nos Sadwrn yng Nghricieth. Dynion ifanc mewn crysau smart a jîns wedi eu smwddio yn troi i mewn i'r Mitre. Cychwynnodd Ilid heibio'r Neuadd Goffa i fyny am y fynwent.

Roedd y lôn fach gul yn dringo'n serth. Edrychodd dros ei hysgwydd unwaith i gael cip ar y môr. Roedd 'na dwtsh o biws yn ei lesni heno. Sŵn traed: hogan ifanc yn rhedeg i lawr i'r dre. Daeth Ilid yn sobor o agos am eiliad i'w chrys-t tyn a'i bronnau'n ymwthio drwyddo. Trodd eto i sbio ar ei choesau brown hirion o dan y sgert goch gwta'n powndio mynd. Ella ei bod hi'n hwyr, neu jest yn awyddus iawn, iawn. Dyna hi'n disgyn i'r dre. Bron nad oedd Ilid yn teimlo awydd ei dilyn, ble bynnag yr âi.

Cyrhaeddodd furiau'r fynwent. Muriau uchel. Welai neb y môr o fan hyn. Aeth i fewn trwy'r giât fach wrth ymyl y gatiau mawr. Safodd ac edrych o'i chwmpas, wedi ei synnu gan faint y lle. A doedd ganddi ddim syniad lle roedd bedd ei nain gyntaf.

'Yr hyn a allodd hon, hi a'i gwnaeth'. Ond nid y nain na chafodd ei hadnabod oedd hon, ond Mary Davies, Mynachdy, Gwraig a Mam annwyl, fu farw Tachwedd 8fed 1963. Wrth grwydro o gwmpas, gwelodd yr un ymadrodd ar sawl bedd merch. Roedd y fynwent 'ma'n llawn o ferched oedd wedi gwneud yr hyn a allent. Be olygai hynny, tybed? Gwneud cacen ar gyfer angladd. Golchi dillad i gymdoges pan oedd hi'n wael. Magu plant chwaer a fu farw ar enedigaeth plentyn. Gadael yr ysgol yn ifanc i fagu teulu ar ôl colli mam. Roedd Ilid yn gwybod am y pethau yma, wedi clywed ei thad a'i mam yn sôn. Aberth, dyna oedd o. Aberth addysg ac amser.

'Ond doedd 'na ddim dewis', clywai ei mam yn dweud, fel yn achos Anti Bessie. Hen fodryb i'w thad oedd Bessie ac roedd ganddo feddwl mawr ohoni. 'Ma 'na lawar ym mhen Bessie', arferai ddweud. Fo ddigwyddodd sôn ryw ddydd fod Bessie wedi ennill ysgoloriaeth i'r Ysgol Ramadeg, ond na chafodd gymryd ei lle oherwydd bod ei hangen adref. Roeddent wedi dadlau am hynny, hi a'i mam, hi'n dweud nad oedd yn deg a'i mam yn honni mai adref oedd ei lle hi. 'Meddylia mewn difri, Ilid, pedwar o blant bach o dan ddeg oed a'u mam wedi marw'. 'Ond dim ond un ar ddeg oedd hi!' roedd hithau wedi ei daflu yn ôl. Tua'r un oed â hithau ar y pryd. Ond wrth gwrs doedd hi ddim wedi ystyried fod mam Mam *wedi* marw. Ella mai eisiau chwaer fawr i edrych ar ei hôl hi yr oedd hi.

203

Cofiodd am un llun o Mam yn reit fychan, yn sefyll ar iard Llannerch mewn ffrog haf a *smocking* arni. Cyn i bopeth ddigwydd, unig blentyn y teulu.

Os nad oedd yna ddewis, oedd yna anrhydedd mewn plygu i'r drefn? Be wyddai'r rhai oedd wedi dewis y geiriau coffa, 'yr hyn a allodd hon, hi a'i gwnaeth', be fedrai Mary Davies fod wedi ei wneud?

*   *   *

Ugain munud yn ddiweddarach cerddodd Ilid i mewn i far y Marine.

– Duwcs, Ilid!

Trodd un o'r dynion ar stôl ger y bar tuag ati. Heb arfer â'r awyrgylch mwll yno ni fedrai weld dim ond ei siâp, ond adnabu ei lais wrth gwrs.

– Gerallt! R'argol, sut wyt ti'n fa'ma?

– 'Na'n union be o'n i am ofyn i ti. Disgwl am Llio dw i. Mewn rhyw barti pen-blwydd tan naw.

– Tan naw! Reit hwyr . . . ond mae hi bron yn ddeg, tydi.

– Parti disgo. Dwi'n mawr obeithio bydd rhai flwyddyn nesa'n para tan ddeg o leia, i mi gal jans am beint yn amlach.

– Ond chei di m'ond peint ne ddau.

– Mi wn i sut i 'neud iddyn nhw bara. Be gymi di?

– D'wn i'm. Ma' gin i sychad ar ôl cerddad i lawr o dop dre. Lager, dwi'n meddwl.

– Efo leim?

– Dim diolch!

– Fasa Siani ddim balchach â fo heb leim. Hannar o lager, plîs.

Roedd Ilid wedi meddwl am botel o Rolling Rock, ond mi oedd hi braidd yn hwyr rŵan. Gobeithio fod y drafft yn beth go lew. Daeth y ddiod a thalodd Gerallt amdani.

– Awn ni at fwrdd, ia? Fyddi di ddim isio ista wrth y bar.

A dweud y gwir, doedd fawr o ots ganddi.

– Wel, mi gawn edrach ar y môr os gawn ni fwrdd wrth y ffenast.

Wrth fod llawer o bobol wedi dewis yfed tu allan ar y balconi, cawsant fwrdd heb ddim trafferth. Roedd ochor ogleddol y bae yn disgleirio oddi tanynt.

– Tydi o'n werth chweil!

Gosododd Gerallt y diodydd ar y bwrdd. Heb edrych i fyny, meddai:

– Ardderchog. Cherddist di ddim o adra, siawns.

– Naddo. Ddois i efo'r bỳs gynna, mi o'n i isio prynu presant pen-blwydd i hogan fach ffrind i mi.

– Top y dre, ddeudist di.

– Ia. Wedi bod yn y fynwent. Yn chwilio am fedd nain – wel dim y nain oeddan ni'n nabod . . .

– Mam Mam.

– Ia. Wyddost di lle mae o?

– Dim obadeia. 'Sa raid i ti ofyn i Mam. Ma' hi'n mynd yno efo bloda ambell waith.

– Ydi hi?

Drachtiodd y ddau eu cwrw. Carlsberg, ym marn Ilid. Gallasai fod yn llawer gwaeth.

– Be ddoth drosta chdi i fynd i chwilio am fedd nain? Hel achau wyt ti?

– Naci. Wel, isio gwbod o'n i pryd fu hi farw. Pa flwyddyn.

– Mi wn i hynny. Neintîn fforti-thri.

– Ti'n gwbod!

– Pan o'dd Mam yn saith.

– Wel dyna be oedd ar fy meddwl i, faint oedd Mam pan gollodd hi ei mam.

– Wel – cymerodd Gerallt sip o'i wydr eto – y rheswm dwi'n cofio ydi hyn.

Rhoddodd ei wydr i lawr yn ofalus. Dechreuodd Ilid amau fod hwn yn ail neu drydydd peint iddo.

– Noson 'y mhen-blwydd i'n saith oed. Ches i ddim parti, mi fedri gesio pam . . .

– Dwi'n cofio. Tudur.

– Ia, hwnnw'n sâl, Mam 'di gorod mynd i Fangor efo fo. Ond mi ddaethon yn 'u hola noson fy mhen-blwydd i. Finna 'di sori braidd, wedi cal fawr o ben-blwydd, a ma' siŵr na chawson nhw fawr o groeso gin i. Mi driodd Mam fy mhlesio i, gneud swpar o'n i'n lecio a chacan a ballu, ond wnes i ddadmar fawr. A phan ddaeth hi i ddeud nos dawch wrtha i, dyma hi'n deud yn sydyn, a'i llais hi'n swnio fel 'sa hi'n cal ei chrogi. 'Cofia di, 'ngwas i', medda hi, 'bod fy mam i yn ei bedd pan o'n i'n saith oed.'

– Yn ei bedd, atseiniodd Ilid.

– Ia, cofia, dyna be ddeudodd hi. Argian, mi griais am oria.

Gorffennodd ei ddiod a chodi ar ei draed.

– Wyt ti 'di gorffen hwnna? Ma' hi bron yn naw.

Yfodd hithau'r ychydig oedd ganddi ar ôl a chodi i'w ddilyn.

– Yn un o'r strydoedd cefn ma'r tŷ.

Troesant i fewn i stryd gefn a theimlodd Ilid y cyhyrau yn ei choesau'n cymryd y pwysau'n syth wrth iddynt ddringo. Roedd y golau'n dechrau pylu a'i synhwyrau hithau wedi eu tiwnio i bob awel, pob awgrym.

– Gerallt, gest di gyfla am sgwrs efo Tudur o gwbwl?

Ddeudodd o ddim, dim ond dal i ddringo o'i blaen. Doedd yna ddim lle i'r ddau ohonynt wrth ochrau ei gilydd ar y palmant.

– Aethon ni i'r Angel nos Ferchar. Mi fydda i'n arfar mynd, 'sti, nos Wenar fel arfar, ond ma'r un criw yno ar nos Ferchar 'yfyd. Ond ddim cweit mor lân! Ma'r gwragedd yno ar nos Wenar.

– Fydd Siani'n mynd efo chdi?

– Bydd, Duw, os cawn ni rywun i warchod, 'tê. Ond doedd hi ddim nos Ferchar. Biti. Wnes i'm meddwl.

– Meddwl be?

– Y basa fo'n gneud gwahaniaeth, 'tê! Faswn i byth wedi mynd â fo.

– Be ddigwyddodd, Gerallt?

– O, pryfocio. S'gin ti gariad yn America 'ta, Tudur? Ydi hi'n dipyn o Lewinsky?

Teimlai Ilid rhyw flew bach yn cosi ar gefn ei gwddw.

– A mi yfon ni'n o drwm. Rownds.

Gwelodd Gerallt yn ysgwyd ei ben.

– O'n i allan ohoni a deud y gwir i ti. Cael sbort. Duw, dwi'm yn mynd allan llawar. Mi gymodd 'pyn bach o amsar i mi sylwi fod petha'n troi'n hyll.

– Hyll?

– *S'gin dy Lewinsky di fwy na sy i'w weld ar yr olwg gynta? Dim yn 'i phen dwi'n feddwl! Rhyw 'chydig bach yn ecstra, jest i chdi? Rwbath sy ddim ar y 'menu' ffor' hyn, 'tê, Tudur?*

– Dy ffrindia di oedd rhein?

– O, ac un ne ddau o rai erill yn gweld yr hwyl. Mi ddalltodd o'r sgôr cyn i mi 'neud. 'Dwi'n mynd, ti'n dŵad 'ta be?' medda fo wrtha fi. Ond mi glywson nhw fo, Ilid.

– O, paid â deud.

– Be ti'n feddwl, paid? Ti'n chwaer iddo fo dwyt? 'Dos o'ma'r pwff,' dyna be ddeudon nhw.

– O God! Y blydi penna bach!

– Ia, meddai Gerallt. – Ond mi gesh inna uffar o sioc 'sti. Oeddan nhw'n iawn, doeddan? Wel, dwi'n gwbod. Dwi 'di bod yn meddwl am y peth yn ddi-stop ers hynny. Mae o'n un, tydi?

– Yn be?

– Yn bwff!

– Yn caru dynion.

– Caru!

– O, Gerallt. Gerallt, gwranda arna i. Dwi 'di cal coblyn o ffrae efo Mam a Dad heddiw, o achos Arun a fi. Ein bod ni am wahanu, ella. Ma' Arun yn cal carwriaeth efo rhywun arall, hogan sy'n gweithio efo fo, doctor, merch o India fath â fynta, ne Bacistan. Mi ddeudodd wrtha i nos Iau, a mi heliais i 'mhac a dod yma i feddwl. Dwi'n gwbod am Tudur. Yn un peth, mae o 'di deud wrtha i. Ond fedra i ddim wynebu dim mwy heddiw, dim mwy o ddramatics, ti'n dallt?

Stopiodd Gerallt o flaen tŷ bychan a goleuadau a miwsig yn chwydu allan ohono.

– 'Ma fo'r tŷ. Hei, Ilid, biti gin i glywad am Arun. O'n i'n 'i lecio fo 'sti. 'Runig un o'n i'n nabod o'dd yn dallt criced yn un peth.

– O God!

– Well i ni fynd i mewn i'w nôl hi, ma'n siŵr, er na chawn ni fawr o ddiolch gynni hi.

Dechreuodd gerdded i fyny'r llwybr, ac yna stopiodd ac edrych ar Ilid.

– Ilid, meddylia be fasa Mam a Dad yn ddeud. Am Tudur.

– Ia, meddai hithau, ma' hynny'n rheswm da dros beidio deud na gneud dim.

Trodd ar ei sawdl a mynd i ganu'r gloch, er na chlywyd mohoni am funudau ynghanol y miri.

12

– Amser co-di, Dad!

    – Ti 'di cysgu'n hwyr, Dad!

    – 'Dan ni 'di cal brecwast ers oria.

    – Fi agorodd y tun.

    – *Pineapple Chunks.*

    – Un efo handlan, dim angan peth agor tun.

Agorodd Arun ei lygaid. Deallodd ar unwaith yn ôl cryfder y golau fod y plant yn iawn – roedd hi'n hwyr. Wyth o'r gloch o leiaf. Roedd hyn yn mynd i frifo.

    – Dad, lle ma' Mam?

    – Mam?

    – Ia, achos 'di ddim yn y llofft bach, a rŵan 'di ddim efo chdi.

    – Wel . . . dwi ddim yn gwbod.

*   *   *

Maia ddarllenodd y nodyn, wedi iddynt ddod o hyd iddo yn stafell Ilid. Y cwbwl oedd o'n ei ddweud oedd ei bod hi wedi mynd i Fryn Hudol i weld y teulu am ychydig, ac y byddai hi'n cysylltu'n fuan.

– Dim yn deg, oedd sylw Maia. – 'Swn i 'di lecio mynd efo hi.

– A finna. Achos mae'n braf, i fynd i lan y môr.

– Ia, *a* ma'r ysgol yn gorffan heddiw.

– Hei, 'dan ni'n cal mynd â gêm ne doi efo ni heddiw.

– A ninna! Dwi'n mynd i bacio'r cathod bach i gyd mewn basged.

Ac roeddynt wedi rhuthro i fyny'r grisiau gan adael Arun efo'i gur pen a'i stumog giami. Diolch byth nad oedd ei shifft ddim yn dechrau tan hanner dydd. Ar ôl mynd â nhw i'r ysgol câi ddadebru efo panaid o goffi go iawn, a hel ei feddyliau.

Ymhen hanner awr roedd o yn yr ardd efo'i goffi. Eisteddodd yng nghysgod y goeden gelyn; fedrai o ddim dioddef bod yn wyneb yr haul. Roedd wedi derbyn gwenau llawer o famau nad oedd yn eu nabod (neu yn eu cofio?) yn iard yr ysgol, ond wedi colli'r cyfle i ofyn i un ohonynt a gâi'r plant fynd draw i chwarae ar ôl i'r ysgol orffen. Dim ond ar y ffordd yn ôl yn y car y sylweddolodd o nad oedd ei shifft yn darfod tan wyth. Wyth! Beth oedd o am ei wneud yn eu cylch? Diolch byth fod fory'n rhydd ganddo. Ond mi oedd o i fod i weithio dydd Sul. A beth am ddydd Llun? Dydd Mawrth? Gweddill yr wythnos?

Wrth gadw'r llestri sylwodd ar gerdyn *Visa* Ilid ar dop y silff lyfrau. Tybed a oedd arni ei angen? Mi wnâi esgus da dros ffonio Bryn Hudol, beth bynnag.

Doedd Ilid ddim ym Mryn Hudol. Dim eto, o leiaf. Roedd o wedi rhusio ei mam, druan.

– Wel lle ma' hi deudwch? Tydi hi ddim yma wyddoch chi, a chlywson ni ddim gair oddi wrthi.

– Ar 'i ffordd ma' hi. Peidiwch â phoeni.

– 'Radag yma o'r bora? Mi gafodd drên yn gynnar iawn.

– Ma'r drên bost yn mynd ben bora.

Celwydd, ond doedd arno ddim eisiau iddi boeni dim mwy.

– Na, fi wnaeth ddim meddwl, wrth gwrs fasa'r trên ddim wedi cyrraedd eto.

Pryd yn union oedd hi wedi gadael? Doedd yna ddim amser ar y nodyn. Ond os aeth hi neithiwr, go brin fod yna drên i Fangor. Hotel?

– Mi ffonith hi, felly, i ni ei nôl hi.

– Ma' siŵr i chi.

Ond be tasa hi wedi newid ei meddwl, a dim am fynd i Fryn Hudol o gwbwl? Rŵan mi fyddai ei thad a'i mam yn poeni amdani.

– Mi ddeuda i wrthi am ych ffonio chi, gynta daw hi, Arun.

Ynganai ei enw fel 'Alun', dim yr 'Aryn' arferol. Wrth gwrs, 'Arwn' oedd o i fod, yn Hindi.

– Deudwch i mi, ydi'r hen blant bach yn iawn?

– Ydyn. Yn hollol iawn efo fi.

– Wel, deudwch bod Nain yn cofio atyn nhw, 'newch chi.

Roedd hi'n amau, doedd dim dwywaith am hynny.

*   *   *

211

Roedd hi'n anodd canolbwyntio yn ei waith. Eisteddodd wrth ei ddesg yn sbio allan drwy'r ffenest ar y biniau sbwriel. Doedd o ddim wedi datrys problem nôl y plant o'r ysgol, er ei fod wedi dod â'r llyfr cyfeiriadau efo fo a phori drwyddo. Ni fedrai yn ei fyw gofio enw'r ddynes oedd yn mynd â Maia i nofio – y Janice Wood yma? Ynte Hannah Rees Cameron? Ffoniodd Janice adre, a gadael neges yn gofyn iddi ei ffonio'n ôl. Roedd ar fin ffonio Hannah pan gofiodd fod Ilid wedi crybwyll yr enw. Ei therapist? Blydi hel, roedd wedi bod ar fin gwneud rêl ffŵl ohono'i hun.

Rhoddodd y derbynnydd yn ôl yn ei le. Roedd o'n ffŵl yn barod. Doedd ganddo mo'r wybodaeth angenrheidiol i wneud peth bach syml fel cael ffrind neu gymydog i ofalu am ei blant am ychydig oriau. A fo oedd yn gwneud y clinig yn y pnawn: fyddai ganddo mo'r amser i feddwl, heb sôn am wneud trefniadau, galwadau ffôn ac ati.

– Donyt, Arun? Cal fy mhen-blwydd. Tyd at y ddesg.

Diolchodd ei fod wedi derbyn gwahoddiad Betty, achos mi holwyd o ynglŷn â'i wyneb hir ac yn fuan iawn cafodd lu o awgrymiadau. Betty ei hun, y dderbynwraig oedd â'r cynnig gorau:

– Ma' 'na ddwy ohonon ni ar y ddesg pnawn 'ma. Mi fedrwn i bicio allan am ryw hanner awr i nôl y plant, a dod â nhw yn ôl yma.

– Fasat ti'n medru? O Betty, 'swn i mor falch.

– Awn ni â nhw i'r cantîn am swper.

– 'Dan ni'm 'di gweld nhw ers oesoedd, Arun; roedd hi'n hen bryd i ti ddod â nhw i fewn.

– Plant del ofnadwy, meddai Betty yng nghlust Rochelle – a da, wrth gwrs.

212

Rhoddodd Arun y manylion am yr ysgol a'r ffordd orau i'w chyrraedd i Betty, ac yna trodd yn ôl am ei swyddfa.

– Well i mi ffonio'r ysgol i egluro be sy'n digwydd.

– Cofia ddweud wrthyn nhw am adael i'r plant wybod, 'tê. Fyddan nhw ddim yn fy nabod i.

– Wel na fyddan.

Gwelodd Betty ei wyneb yn cymylu.

– Ond mi naboda i nhw! Mi stydia i'r llunia.

Mi aeth. Doedd ganddo fawr o ddewis, wedi'r cwbwl.

Ar ôl iddo fynd cododd y sgwrs yn ferw.

– Ydi hi 'di'i adal o, 'dwch?

– Mi ddiflannodd yn sydyn iawn, do?

– A fynta mor neis.

– Mi fydd *rhywun* yn falch o wybod, beth bynnag.

Sbiodd Betty ar Rochelle, a oedd yn dipyn o ffrindiau efo Shama.

*   *   *

O leiaf medrai Arun wynebu'r clinig yn weddol dawel ei feddwl rŵan. Efallai y byddai'r plant yn lecio cael dod i'r ysbyty, gweld lle roedd o'n gweithio. Edrychodd drwy restr y pnawn yn frysiog. O, Marie Mckinnley eto. Hi oedd y drydedd y tro yma.

Daeth ei thro, ond nid oedd golwg ohoni. Arhosodd Arun am ryw bum munud, ac yna aeth i holi Betty.

– 'Di ddim 'di canslo. Mi ffonia i'r GP.

Cymerodd Arun y claf nesaf; doedd waeth iddo fanteisio ar y cyfle i fod o flaen yr amser ddim. Bu'n falch iddo wneud, wrth fod y cês yn un cymhleth, ac yn newydd iddo fo. Aeth cryn hanner awr heibio cyn iddo ffarwelio â Mr Derrick, pryd daeth Betty yn ei hôl.

– Ma' hi 'di marw.

– Wedi marw?

– Ydi, dy Fiss Mckinnley di. Dydd Sul. DOA yn Tommy's.

– Ond mi odd hi 'di cal *bypass*!

Cododd Betty ei hysgwyddau.

– Dwi'm yn dallt y petha 'ma.

– Os na wnaeth hi . . . ddwedodd y GP rwbath am yr achos?

– Ddeudodd y *receptionist* ddim byd ond hynna wrtha i.

– Rhaid i mi ffonio. Dwi'n methu'n lân â dallt y peth. Roedd o i weld yn llwyddiannus. Prin iawn gewch chi drawiad heb rybudd . . . ddeudodd hi ddim byd fasa'n gneud i rywun feddwl, pan welis i hi . . .

Oedd o wedi methu rhywbeth allweddol? Ddylai o fod wedi ei hanfon am asesiad arall?

– Yrra i'r nesa i mewn?

– Na. Na, dim eto. Dwi'n o lew efo amser. Mi leciwn i ffonio.

Eisteddodd wedi i Betty fynd. Hiraeth, dyna oedd byrdwn ei sgwrs efo Marie Mckinnley. Ei hiraeth hi am dir Gogledd Iwerddon. Hiraeth Ilid. Gwelodd hi'n siarp am eiliad, yn plygu i ogleuo eithin yng nghaeau Bryn Hudol. Wel, mi oedd hi adra erbyn hyn siawns. A Marie Mckinnley 'run fath, os oeddan nhw am gludo'r corff yn ôl a'i chladdu yn – na! O, be oedd o wedi 'i ddeud? Doedden nhw ddim 'run fath, un yn fyw a'r llall yn farw. Wnaen nhw gludo'r corff adre, efo'r gost? A'r gwres. Gwres y wlad yma, fel popty bach yn ymyl

ffwrnais India. Be fasan nhw'n ei wneud efo'i gorff o?
Fuasai'n rhaid iddo ddygymod â chlai oer Llundain?
Cofiodd glywed am hen ferch o Tseina – un o gleifion
Dipesh – yn poeni na fyddai neb yn ei dallt hi yn y byd
nesaf os câi ei chladdu efo llu o Gristnogion. Doedd o
ddim yn ddigon drwg nad oedd neb yn eich dallt yn y
byd yma, heb dreulio tragwyddoldeb yn dal eich gwynt
a gwenu'n ddiymhongar?

Mi ffoniai. Diolchodd am wasanaeth ffôn yr ysbyty
yn trefnu'r alwad heb ofyn dim cwestiynau. Sbiodd ar
ei wats. Cyn iddo weithio'r peth allan, clywodd ei llais
yn ateb.

– Ma!
– Arun! O, Arun, lle wyt ti?
– Yn 'y ngwaith, Ma.
– Yn dy waith?
– Ar ganol clinig.
– A finna'n meddwl . . .
– 'Mod i yn y maes awyr? Sori. Ond mi ddo i. Ddo i
â'r plant efo fi tro yma hefyd. Jest isio clywed eich llais
chi.

Daeth chwerthin isel, hapus ei fam yn glir dros fôr a
thir.

*   *   *

Mewn tŷ ar gyrion New Delhi eisteddai Geeta Kataria
yn gwenu yn y tywyllwch. Yna cododd ei braich i
oleuo'r lamp uwch ei phen nes bod sbot-olau ar ei
hwyneb. Ciliodd y wên a daeth golwg ddifrifol dros ei
hwyneb. Be oedd ar feddwl yr hogyn, iddo fo ei ffonio
ar ganol ei waith? Roedd yna rywbeth yn bod.

*   *   *

Aeth Arun ymlaen yn beiriannol drwy weddill y rhestr. Cawsai'r teimlad o fod yn gweithio yn y presennol yn unig, heb fod yna unrhyw ganlyniad i'r hyn a wnaethai. Golau bach oedd o, yn symud trwy'r tywyllwch ac yn gadael tywyllwch ar ei ôl.

Roedd ganddo ddau ar ôl ar y rhestr pan ddaeth Betty â'r plant i fewn. Edrychent yn fach, yn frown, ac yn lliwgar yn eu siorts a'u crysau-t.

– Helô!

Agorodd ei freichiau a rhedodd y ddau ato a sefyll yn swil un bob ochor iddo.

– Dad, meddai Maia. Rhoddodd ei braich am ei wddw.

– *Beti.*

Edrychodd Betty arno.

– Sori, gair bach fel 'cariad' ydi '*beti*' yn Hindi.

– O, wela i. Ges i hyd iddyn nhw heb ddim trafferth.

– Dad, o'n i'n meddwl basa hi mewn iwnifform nyrs.

– Ond o'n i'n meddwl, na, mi fydd hi wedi newid.

– Dim nyrs ydi Betty, meddai Arun.

– 'Dan ni'n gwbod, meddai Deio. – *Receptionist!* Dad, gawn ni eis loli plîs?

Edrychodd Arun ar Betty.

– Ydi'r peiriant yn y lobi'n gwerthu . . .

– Ydi. Rhai neis fath â Mars! Mi a' i â nhw, a mi gân nhw ddod tu ôl i'r ddesg i'w byta nhw.

– Diolch o galon. Dim ond dau i fynd. Mi fydda i efo chi mewn llai nag awr.

– Awr! ebychodd Maia.

– Awr gwta, meddai Betty gan eu harwain i ffwrdd.

*　　*　　*

Roeddynt ar eu ffordd i'r cantîn, y tri ohonynt, tua chwech o'r gloch. Teimlai Arun yn annisgwyl o hapus. Roedd pawb wedi gwneud ffŷs o'r plant, dweud eu bod yn eithriadol o ddel, ac annwyl, ac roeddynt hwythau wedi byhafio'n dda, wedi sgwrsio a gwneud lluniau ar bapur yr ysbyty. Roedd o'n falch ohonynt – ac yn falch o Ilid ac yntau. Wedi'r cwbwl, pwy oedd wedi eu magu? Clywodd sŵn sodlau'n clecian ar lawr y coridor tu ôl iddynt. Shama, doedd dim amheuaeth. Cyflymodd ei bŷls yntau. Byddai'n well ganddo iddi beidio â chyfarfod y plant . . . dyna'r camau'n arafu . . . rhaid ei bod wedi eu gweld. Ella y gwnâi droi yn ei hôl, neu fynd y ffordd arall. Ond dyma'r sgidiau'n cyflymu unwaith eto, fel petai eu perchennog wedi gwneud penderfyniad.

– Helô!

– Helô.

Daliodd ati i gerdded, a daeth hithau i gerdded efo nhw, wrth ochor Deio.

– Helô, meddai Shama eto gan edrych yn syth at Maia'r tro yma, ac wedyn Deio.

– Helô, atebodd Maia'n swil.

– Ym, Maia a Deio 'di rhain.

– O'n i'n ama. Ar eich ffordd i'r cantîn dach chi?

– Ia, i gal swpar, meddai Deio.

– Wel, gobeithio bydd hi'n noson dda yno.

– Sut, noson dda? holodd Maia.

– Wel, na chewch chi ddim cyrri ddoe, ne hen foron a phys yn y pastai bugail, ne gwstard caled.

– Ych a fi!

– Ma' hynna'n waeth na cinio ysgol.

– Ges i ddeinosor i ginio heddiw. Oedd o'n horibl!

– Deinosor!

– Dim deinosor go iawn, Dad, byrgyr yr un siâp â deinosor mae o'n feddwl.

– 'Dan ni'm i fod i gal cinio ysgol, meddai Deio wrth Shama, – ond mi anghofiodd Dad 'neud bocs bwyd i ni.

– Bocs bwyd? holodd Arun. – Ond ddeudoch chi ddim byd!

– O'n ni'n brysur yn dewis tegan, meddai Maia, – a pa ddillad i wisgo.

– Diwrnod ola'r tymor, eglurodd Arun. – Dyma ni wedi cyrraedd y cantîn. Dwyt ti ddim . . .

Roedd o'n dechrau cael blas ar ei chwmni, fel mae rhywun wedi derbyn glasiad o win ar ôl tyngu llw nad oedd am yfed y noson honno.

– Na. Rownd ward gin i. Well i mi yrru rhai o'r bobol 'ma adra! Wela i chi!

Cododd ei llaw ac i ffwrdd â hi. Roedd hi'n edrych yn uffernol o dlws.

– 'Di Mam byth yn anghofio bocs bwyd, meddai Deio.

Gobeithiai Arun nad oedd Shama'n medru ei glywed.

– Roedd hi'n neis, Dad, meddai Maia pan oeddynt wedi dewis eu prydau ac yn eistedd wrth y bwrdd. – O'n i'n lecio'i chlip gwallt hi.

– Ond mi o'dd hi'n *rong*, meddai Deio. – Ma' fy jips a sosej i'n well o lawer na'r rhai ysgol.

– Pwy ydi hi, Dad?

– Doctor arall. Ffrind.

– A be 'di'i henw hi?

– Shama.

– Enw o India ydi o?

– Wel, Pacistan – ne mi fedrai fod o India.

– Ma' Pacistan drws nesa i India yn dydi?

– Ydi, ydi. Tyd rŵan, Maia, byta dy *fish fingers*. Wyt ti isio sos coch efo nhw?

– Dim diolch, gas gin i sos coch. Felly, os ydan ni o India a hi o Bacistan, 'dan ni'n debyg, tydan?

– Ydan, mewn ffordd.

'Ni o India'. Diddorol iawn. Chlywodd o mohoni'n dweud dim byd fel yna o'r blaen. Yn ystod gwyliau'r haf yng Nghymru ddwy flynedd yn ôl roedd hi wedi honni mai croen gwyn oedd ganddi hi, 'fath â Mam, dim croen brown fath â chdi'. Roedd hynny wedi ei frifo. Efallai na wnâi cyfnod o fod efo fo ddim drwg i'r ddau ohonynt.

Cofiodd rywbeth arall pan oeddent yn dechrau bwyta eu crymbl afal.

– Maia, mi oeddat ti'n ofnadwy am sos coch! Dwi'n cofio nadu i ti gael dim mwy.

– Dim rŵan, meddai Maia.

– Dim ers lot, meddai Deio.

*   *   *

Cyn gadael heno, roedd yn hanfodol iddo wneud rhyw drefniant ynglŷn â fory. Roedd ganddo sbel o amser rhydd i'w gymryd, wedi ei gadw ar gyfer adolygu o ddifri cyn ei arholiadau. O gornel ei lygaid gwelai Maia'n difa arallfydwyr ar sgrin y cyfrifiadur. Roedd o wedi mwydro'n meddwl pwy a sut fedrai wneud shifft fory yn ei le. O, mi gâi rhywun arall ddelio â'r peth! Cododd y ffôn a deialu rhif Deborah Swift yn *Personnel*. Torrodd Deborah ar draws neges y peiriant ateb i'w ateb ei hun.

– Ia?

– Arun Kataria sy 'ma, o'r tîm cardiac. Fedrwch chi roi pum munud i mi?

Bang bang!

– Wel, mi dwi ar fin cychwyn adra, meddai hithau a'i hacen Birmingham yn fwy amlwg nag arfer, – fedrwn ni ddim siarad ar y ffôn?

Clecian a ffrwydro mwyaf ofnadwy.

– Ie! Wedi'u lladd nhw! Dwi ar lefel deg!

– Sori, Deborah, mae hi'n rhy swnllyd yma.

– Ol-reit 'ta. Pum munud handi, cofiwch. Dw inna isio gweld 'y mhlant heno.

Gadawodd Arun swyddfa Deborah Swift chwarter awr yn ddiweddarach. Yr oedd ganddo bythefnos o wyliau o'i flaen.

*   *   *

Y noson honno ar ôl cael y plant i'w gwlâu agorodd botelaid o gwrw iddo fo'i hun. Yna aeth i lawr i'r seler a chwilota trwy'r llanast nes dod o hyd i becyn o blastar a brynwyd ganddynt ddwy neu dair blynedd yn ôl. Cododd y caead a rhoi proc iddo efo'i fys. Trwy wyrth, roedd o'n dal yn wlyb neis, yn ystwyth fel eisin dan flaenau ei fysedd. Cymerodd swig o'r botel gwrw, ac aeth drwodd i'r ystafell ffrynt. Lle roedd dechrau?

13

Sglefrai ei llygaid dros yr aceri llyfnion. Ambell gamlas; fflach o las, fflach o goch. Y peth a aeth â'i sylw fwyaf ar y daith oedd y coed. Y coed yng ngogoniant crynedig eu dail. Weithiau glwstwr ohonynt yn y pellter, y tamaid olaf o goedwig hynafol efallai, weithiau un ar ei phen ei hun. Mis Awst, ganol y flwyddyn. Pan oedd pob deilen wedi agor, pob cell wedi cyrraedd ei maint llawn ac yn gweithio ffwl pelt yn cynhyrchu carbon deuocsid. Heblaw, hynny yw, am goeden fel nacw, heb ddeilio o gwbwl, yn sefyll efo'i brigau'n noeth.

Roedd hi wedi rhedeg i ffwrdd adre at Mam a Dad, a rŵan dyma hi ar ei ffordd yn ôl adre at ei gŵr a'i theulu, yn betio ei fod yntau am ymateb yr un mor ystrydebol a difaru, a dod at ei synhwyrau. Ond lle arall roedd o wedi bod, ond ynghanol ei synhwyrau?

Yr hen wastadeddau cyfarwydd yng nghanolbarth Lloegr, rhwng Crewe a Nuneaton. Pam na fuasai hi wedi cychwyn am y maes awyr fel y Fartha honno mewn ffilm a welsai'n ddiweddar, a gofyn am docyn i hedfan i unrhyw le yn y byd am hyn a hyn o arian? Jamaica, Jerusalem, Sbaen, Sierra Leone, Beijing. Bombay. O na, dim India. Roedd India fel cartref arall, cartref anhapus. Ac i beth yr oedd hi am fynd â'i pharsel o anhapusrwydd efo hi, i'w ddadbacio ble bynnag yr âi, yng ngogoniant Twrci neu yn nieithrwch Alberta? Taenu lliain ei thristwch dros y tywod golau ym Mhortiwgal, a gwneud yr Alps yn fach drwy edrych arnynt drwy ochor rong y sbiendrych. Na. Roedd hi wedi teithio, a gwyddai be i'w ddisgwyl. Cofiai am y bws o Roeg drwy Iwgoslafia a'r Swistir a sut y cynhaliodd hen ganeuon pop Beatles a Fleetwood Mac hi drwy ddeuddydd heb fawr o gwsg, a dim lluniaeth ond dau dun o sardîns. Canu am Arun yr oeddynt – *Please Please Me, I Wanna Hold Your Hand, Love Love Me Do* – Arun a hithau yn cerdded strydoedd budr, rhamantus Llundain.

Ac felly doedd yna ddim dianc, dim ond mynd rhwng dau ben y lein, adref ac adref, Bangor a Llundain, Bryn Hudol a Blackheath. Mynd yn ôl adref, yn ôl at ei gwreiddiau, yn ôl at wraidd y drwg i geisio ei sugno allan. Nes ei bod wedi'i rhyddhau ei hun, ac wedyn medrai grwydro.

Stopiodd y trên. Dim hanes o stesion. Aeth pum munud heibio. Dechreuodd y papurau newydd a'r cylchgronau o'i chwmpas fflapian ac anesmwytho. Deg munud. Daeth llais y giard ar y tanoi: roedd yn ddrwg iawn ganddynt, ond roedd trên wedi torri i lawr o'u blaenau. Byddent o ganlyniad rhwng tri deg a phedwar deg munud yn hwyr yn cyrraedd Euston. Damia, damia, damia! Byddai'n amhosib bron iddi gyrraedd tŷ Hannah erbyn hanner dydd. Ar ôl yr holl gyffro, y codi ben bore i ddal y trên. Yr edrych ymlaen. Heb Hannah i roi'r byd yn ei le, sut *oedd* hi am fynd adre?

*   *   *

I'w chynddeiriogi fwy byth, roedd hwn y math o fws a chanddo amser i'w sbario. Rhaid ei fod yn rhy gynnar neu rywbeth: loetrai wrth bob arhosfan, pobol yna ai peidio, a bu'n chwyrnu'n ddiog wrth ymyl y tiwb yn New Cross am bron i dri munud. Wrth agosáu at

222

oleuadau traffig gwyrdd arafai'n drybeilig a llwyddodd i'w methu bob tro ond unwaith. Ddisgwyliodd Ilid ddim iddo lusgo ei hun at ben ei daith, ond neidiodd i ffwrdd wrth iddo stopio o flaen sebra crossing gan anwybyddu ysgwyd pen beirniadol y condyctor.

O'r diwedd roedd hi ar garreg drws Hannah, yn canu'r gloch. Ei phen yn mynd fel top a'i bochau'n swigod cochion ar ôl rhuthro drwy strydoedd cefn Greenwich yn osgoi pobol.

– Ilid! Helô. Ro'n i'n meddwl yn siŵr eich bod wedi penderfynu aros adre am 'chydig bach mwy.

– Na! Na! Faswn i byth yn gneud hynny. Y trên. Y trên oedd yn hwyr! A'r blincin bỳs!

– O diar.

Roedd tôn fach o gonsýrn ar wyneb Hannah, ond oddi tani synhwyrai Ilid ei difaterwch. O God, a hithau wedi symud môr a mynydd i gyrraedd yno heddiw. I gadw ei hamser. Cronnai ei siom yn ei llygaid.

– Ugain munud i un ydi hi. Gawn ni chwarter awr, bron.

– Wel, cewch. Ond dwi'n ei weld o'n 'chydig iawn. 'Rhoswch am funud, Ilid. Hoffech chi lasiad o ddŵr? Ma' golwg boeth iawn arnoch chi.

Nodiodd hithau ei phen. Oedd, mi oedd golwg arni mae'n siŵr, a'i hawch i'w weld yn boenus o amlwg ar ei hwyneb. Aeth Hannah i gefn y tŷ. Doedd Ilid, wrth gwrs, ddim yn cael ei dilyn i fan'no. Roedd hi'n cynefino â thawelwch a ffresni'r cyntedd erbyn hyn. Clywodd dician tu ôl iddi a throdd i edrych. Cloc mawr! Sut na sylwodd hi arno o'r blaen? Rhoddodd ei sylw iddo – roedd yn un gwych, efo canol main ac wyneb pres.

– Dyma chi.

Estynnodd Hannah wydryn tal i Ilid: roedd yn oer, oer yn ei dwylo.

– O diolch.

Llifodd y dŵr rhew bendigedig i lawr ei gwddw llychlyd. Roedd yn rhaid iddi holi hanes y cloc.

– Mi sbiais i yn fy llyfr. *Mae* Maud Elliot ar ei gwyliau, ac felly ma' gen i le gwag am chwech heno. Hoffech chi ddod 'radeg hynny a chael eich amser yn llawn? Neu mi gewch aros rŵan am 'chydig, cofiwch, os 'di hynny'n well gynnoch chi. Mae o i fyny i chi'n llwyr.

O, roedd hi wedi bod yn meddwl amdani, meddwl beth oedd orau iddi, wedi'r cwbwl. Roedd rhyddhad yn llifo'n braf drwy Ilid rŵan, yn ei dyfrio. Doedd dim rhaid iddi ystyried yn hir. Byddai'n well ganddi gael sesiwn lawn, wrth gwrs, a chymaint ganddi i'w drafod – ond fedrai hi fynd adre gyntaf?

– Mi ddo i'n ôl, Hannah. Diolch. Diolch yn fawr.

– Dim problem, meddai Hannah, gan gau'r drws.

Cerddodd yn reddfol yn ei blaen nes cyrraedd y stryd a arweiniai i'r parc, a dechrau dringo tuag at y fynedfa. Y ffordd adref. Doedd dim rhaid iddi fynd adref. Medrai yn hawdd iawn aros yn y parc drwy'r pnawn. Rhoi ei phen ar ei bag a chysgu yng nghysgod rhyw goeden. Byddai'n braf cael newid i rywbeth arall. Roedd hi wedi ei chyfyngu i'r sgert flodeuog a'r siorts brown golau a chrys-t ers dyddiau rŵan, ac roedd y siorts yn crafu cefn ei phengliniau wrth iddi gerdded. Ffrog, dyna fuasai'n braf. Doedd ganddi mo'r 'mynedd i fynd i Greenwich neu Blackheath i weld beth oedd gan y *boutiques* i'w gynnig. Mwya'r tebyg na fuasai yna neb adre beth bynnag. Arun yn ei waith a'r plant yn yr ysgol.

Cerddodd yn araf i fyny'r llwybr serth. Aeth hogyn bach heibio ar yr ochor chwith iddi yn rhowlio i lawr y bryncyn. Gwallt du syth fel Deio ganddo. Rhedodd amryw o blant eraill ar ei ôl, a golwg flêr, hapus arnynt. Mi ddylent fod yn yr ysgol, y coblynnod bach, roedd hi'n ddigon amlwg mai plant lleol oeddynt. Stopiodd yn stond, gan wneud i'r Almaenwyr tu ôl iddi regi dan eu gwynt. Doedd yna ddim ysgol, nag oedd. Roedd yr ysgol wedi torri ddydd Gwener diwethaf. Soniodd Arun 'run gair ar y ffôn, chwaith. Oedd o wedi gwneud trefniadau? Wel, mae'n rhaid ei fod o! Dyna beth oedd arni eisiau iddo fo ei wneud, cymryd y cyfrifoldeb, a rŵan doedd yna ddim osgoi. Ond fedrai hi ddim dychmygu beth yn union roedd o wedi ei wneud chwaith. Doedd ganddo fo mo'r cysylltiadau.

Torrodd ar draws y lawnt a chyrraedd y giât orllewinol.

Roedd pob ffenest yn ffrynt y tŷ ar agor. I lawr grisiau, y ddwy yn y stafell ffrynt. Stafell y plant, a stafell Arun. Ffenest y landin. A'i ffenest hi! Nefoedd! Gwelai howscipar a morynion fel y rhai yn *Mary Poppins* yn hedfan drwy'r tŷ efo'u dystyrs – ia, a Mary Poppins ei hun yn canu i'r plant wrth ddangos iddynt sut i dacluso eu llofft, a'r rheini'n dotio arni ac yn llowcio ei ffisig leim a mefus. Wrth nesáu at y tŷ clywai sŵn drwy'r ffenestri agored, sŵn rhygnu. Roedd y morynion wrthi'n llnau'r lloriau, neu'n caboli'r *brasses*. Ac efallai nad Mary Poppins ond Doctor Shama oedd yn gosod trefn ar Maia a Deio. Na, na, fasa fo byth yn dod â hi adre. Ymbalfalodd yn ei bag am ei goriad. Rhoddodd ef yn nhwll y clo a'i droi yn araf, yna gwthio'r drws ar agor. Cynyddodd y sŵn. Rŵan roedd

225

o'n sŵn cyfarwydd, ond eto fedrai hi ddim rhoi ei bys arno. O! Dyna lais Maia i fyny'r grisiau, yn uchel ac wedi cynhyrfu. Roedden nhw yma, felly! Profodd gerrynt o eisiau eu gweld a'u gwasgu. Stopiodd y sŵn.

– 'Stynnwch hwnna i mi plîs, Nyrs!

– Dim nyrs ydw i, *Assistant Surgeon*.

– Y siswrn, plîs!

– Ilid!

Doedd hi ddim wedi sylwi arno'n dod drwodd wrth iddi edrych i fyny'r grisiau i gyfeiriad y lleisiau. Roedd ei wallt yn bigau a hen grys-t gwyn amdano a hwnnw'n staeniau paent amrywiol. Roedd darn o bapur tywod ganddo yn ei law.

– 'Na be o'dd y sŵn, chdi'n crafu efo hwnna?

– Ia. Llyfnu'r plastar. T'isio gweld?

Aeth ar ei ôl drwy'r drws a gweld ei fod wedi ailblastro'r wal allanol lle cawsant y fath drafferth efo tamprwydd.

– Oedd hi wedi sychu'n grimp. Efo'r tywydd poeth.

– Oedd?

– Wel, ella 'i bod hi 'di sychu ers tro, a ninna heb sylwi.

– Bosib. Rwyt ti 'di stripio'r walia 'fyd.

– Do. Wel, y plant 'nath y rhan fwya ddoe. O'dd o'n dod i ffwrdd fel ruban.

Roedd y waliau'n bincnoeth, a'r plastar ffres ar y wal ddiffygiol fel croen newydd.

– Da-ad! Tyd yma!

Maia'n llafarganu.

– Tyd ti yma, *beti*.

– Na, Dad, 'dan ni isio *gofyn* rwbath i ti, rwbath *pwysig*.

– Ond ma' gin i syrpreis i ti.

– O, ol-reit. Ond jest am funud, dwi ar ganol opereshon, Dad.

Ei llais yn dod yn nes, a'i choesau'n carlamu i lawr y grisiau. Daeth i olwg ei rhieni.

– Dad, pan ti'n rhoi calon newydd tu fewn i rywun – Mam!

Taflodd Maia ei hun i lawr y tair gris olaf a hyrddio'i breichiau am ganol Ilid. Cuddiodd hithau ei hwyneb yn ei gwallt.

– Mam, dwi'n gneud opereshon! Deio sy'n helpu fi, a 'dan ni am dynnu ei hen galon sâl hi a rhoi calon newydd iddi.

– Syniad da, meddai Arun.

– Gin ffrindia Dad gafon ni'r syniad, pan aethon ni i'w waith o. O'dd o 'di gneud i hogyn bach, medda fo.

'Fo', diolch byth, dim 'hi'. Ond mi fuont yn ei waith.

– Pwy sy'n cal y driniaeth, Jessica Angharad?

– Naci, naci.

– Sori, *beti*, ond ma'n rhaid i'r claf gael diod o ddŵr ne mi fydd hi wedi trengu cyn diwedd yr opereshon.

Ar ben y landin safai Geeta Kataria, Ma Arun a Dadiji Maia a Deio.

*   *   *

– I ddechra, meddai Ilid, ro'n i wedi fy syfrdanu gymaint wnes i ddim byd ond syllu arni hi. O'n i'n methu *coelio* 'i bod hi yno o 'mlaen i, a hitha'n gaddo dŵad ers saith mlynadd – cyn geni 'run o'r plant! – a byth, byth yn dod. Mi o'dd hi am ddŵad adag geni Maia, wedyn adag geni Deio. Ein siomi ni bob tro. *Ni* oedd yn gorfod mynd yno efo'r babis bach 'ma, yn crio yn yr eroplen ac yn cadw pawb yn effro, ne Maia'n blentyn dwyflwydd gwinglyd, swnllyd. O, fues i jest â'i chofleidio hi am funud, d'wn i ddim pam! A wedyn mi ddoth awydd i'w chicio drostaf, rhedag i ben y landin a landio coblyn o gic ar 'i ffêr lle roedd hem ei sari wen yn cyffwrdd y llawr. O'n i'n gandryll! Hi'n sefyll yn fan'no, Maia a Deio tu ôl iddi, a'i chyrri hi'n ffrwtian ar y stof, a – a phopeth mor blydi trefnus!

– Roeddech chi isio iddyn nhw fod yn wahanol?

– O'n siŵr! O'n i wedi mynd, do'n, a'i adal o i gôpio, a be 'nath o ond galw'i fam o ben draw'r byd a mi neidiodd honno ar eroplen am y tro cynta yn 'i bywyd, yr eiliad ddeallodd hi 'mod i ddim yno. Unwaith yr ath o ar 'i gofyn hi! Ar ôl gwrthod a hel esgusion a haglio am flynyddoedd.

– Ydach chi wedi cael cyfle i drafod hyn efo Arun?

– Naddo.

*   *   *

– A pheth arall, ma' hi yn fy llofft i.

– Eich llofft chi?

– Ia, y llofft fach lle dwi 'di bod yn cysgu ers tro rŵan. Mi es i i fyny'r grisia efo 'mag, a chal y stafell yn llawn o saris a chardigans.

– Oes ganddoch chi stafell sbâr?

– Oes, un fawr gyfleus – dyna lle roedd Tudur fy mrawd yn aros – *hi* fynnodd fynd i'r llofft fach. 'Mae hon yn berffaith ar gyfer hen wreigan fel fi,' ddeudodd hi yn ôl Maia.

– Ddywedodd y plant ddim mai eich llofft chi oedd hi?

– D'wn i'm. Mi arhosodd yno, beth bynnag. Fan'no mae hi byth.

– Wel, fyddai hi'n bosib i chi ddweud wrthi mai eich stafell chi ydi hi?

– Dim yn hawdd iawn. Dach chi'n gweld, wnaeth neb sôn wrthi am ein problemau ni, Arun a finna. Felly fasa hi ddim yn deall . . . pam 'mod i angen llofft ar wahân.

Cododd Hannah ei haeliau.

– Ond mi wyddai eich bod wedi mynd i ffwrdd. Wedi gadael. Dyna pam y daeth hi, yn eich tyb chi.

– A sut na fasa hi wedi gweld 'y nillad i ym mhobman, 'y mhetha i ar y bwrdd gwisgo?

– Mae'n rhaid ei bod hi wedi gweld.

– Dyna fo, meddai Ilid, – mae hi'n cymryd fy lle i.

Ddywedodd Hannah ddim byd.

∗   ∗   ∗

– Rydych newydd ddod yn ôl o Gymru, yn do? Mi aethoch adre. I – Gricieth, ie? Yr ardal yna?

– Eifionydd.

Ddywedodd yr un ohonynt ddim am funud.

– Mi sonioch ar y ffôn fod yna rywbeth oedd wedi gwneud i chi fynd.

Gollyngodd Ilid wynt o'i ffroenau. Y prif beth, a hithau heb ei grybwyll.

– Daeth Arun adre – pryd oedd hi? 'Rwsnos diwetha. Dydd Iau oedd hi. Mi oedd dydd Iau yn ddiwrnod reit fawr, achos yn y bore mi ges i gynnig job, ac yn y pnawn mi ddeudodd Arun wrtha 'i fod o'n cal affêr. Dwi'n ama braidd 'i fod o wedi deud am fy *mod* i wedi cal cynnig y job. Ella, tawn i heb ddeud dim, y baswn i heb gael gwbod dim chwaith.

– Ond mi ddaeth adre. Oedd hynny'n . . . anghyffredin?

– Wel, 'chydig iawn oeddan ni wedi'i weld arno fo'n ddiweddar, yn enwedig ar fyr rybudd fel'na.

Sylweddolodd mewn difri calon cyn lleied yr oedd Arun yn ei weld ar y plant. Roedd yn gywilyddus, meddyliodd yn wrthrychol. Brysiodd i roi'r manylion angenrheidiol i Hannah, iddi hi gael dechrau eu dadansoddi. Fel cyfrifiadur. Teimladur, yn mesur a phwyso teimladau ac yn gweithio allan sut yr oeddynt yn cydweithio ac yn effeithio ar ei gilydd.

– Be dach chi'n ei feddwl?

Roedd Hannah wedi gofyn iddi hi cyn iddi gael cyfle i roi'r un cwestiwn.

– Dyna be o'n i am ofyn i chi.

Gwenodd Hannah.

– Ond fi ofynnodd gynta.

– Wel. Shama.

Roedd hi'n od cael dweud ei henw, ei flasu ar ei thafod. Roedd o'n enw neis, tipyn bach yn llithrig, ond pendant hefyd, o'i ddweud yn gyflym. Enw penderfynol.

– Mae hi o'r un cefndir â fo, yn tydi. Dim yn union, mi wn i hynny. Ond maen nhw'n rhannu croen tywyll, y ffaith fod eu teuloedd yn dod o Asia, ei deulu o o India a'i hun hi o Bacistan, dwi'n amau. Ma'n raid mai Mwslim ydi hi, erbyn meddwl. Hindus ydi teulu Arun, er nad ydyn nhw'n credu fawr, am wn i. Doedd ei dad o ddim beth bynnag; dwi ddim mor siŵr am ei fam.

Ella ei bod hi wrthi rŵan hyn yn gwneud allor i Shiva yn stafell wely Ilid, fel y fam yn *A Suitable Boy*.

Medrai weld Maia wrth ei bodd yn gosod y llun a garlantau o flodau sychion. Goleuadau Nadolig hefyd, synnai hi ddim.

– Dim mor debyg â hynny, felly, o edrych yn fanwl. Dywedwch i mi, Ilid, ym mha ffordd y mae Shama'n eich bygwth chi waethaf? Na, arhoswch am funud. Beth am edrych arni fel hyn – be ydi ei chryfder hi, a'ch cryfder chitha?

– Mae hynna'n swnio fel tasan ni'n cystadlu am job!

– Tydach chi ddim yn cystadlu?

– Mae o'n swnio'n hyll!

– Ond ydi o'n wir?

– Dwi ddim isio cystadlu am Arun.

– Wela i. A be ydach chi isio, 'te?

Tynnodd Ilid anadl ddofn.

– Dwi isio i Arun fod fy isio i, iddo ddod i weld hynny drosto'i hun.

– Ac Ilid, *pam* y bydd o eich isio chi? Be fydd ar goll hebddoch chi? Be mae o i fod i weld drosto'i hun?

– Dach chi'n trio dadansoddi cariad.

Eisteddodd y ddwy'n dawel am eiliadau yn gwrando ar atsain geiriau Ilid.

– Dach chi 'di gneud i mi'i ddeud o, do. Dwi'n dal i gredu 'i fod o'n fy ngharu i.

Eiliadau tawel eto. Eiliadau drud, gwerthfawr.

– Dwi 'rioed 'di bod yn agos at neb, yn naturiol efo neb, fel efo fo. A dwi'n coelio fod yr un peth yn wir iddo fynta hefyd. Fedar peth fel'na ddim bod yn unochrog. Dwi'n gwbod.

– Be dach chi'n wybod, Ilid?

– Dwi'n gwbod fod Arun yn fy ngharu i.

*   *   *

Ar y ffordd yn ôl y meddyliodd hi am gryfder Shama, ei dealltwriaeth o'i waith.

*   *   *

– Ydach chi eisiau sôn am eich mam a'ch tad o gwbwl, am fynd adre?

– Wel, mi oeddwn i. Mae o o'r golwg tan luwchfeydd heddiw erbyn hyn. Mi gawson ni uffern o ffrae dros y bwrdd bwyd.

– Ffrae?

– Ne ddadl. Mi ddechreuodd pan ofynnodd Dad pryd o'n i am fynd yn ôl. Dyna o'n i'n deimlo roeddan nhw isio, i mi fynd yn ôl.

– Yn ôl at eich gŵr?

– Ia – er mai dim dyna ddeudon nhw. Wel, dim Dad beth bynnag. Ond Mam! Wnaeth hi ddim trio peidio edliw. Roedd hi yn erbyn y briodas o'r dechra, Dad hefyd, a deud y gwir, ond doedd o ddim am 'neud y peth mor amlwg. Ond y peth tarodd fi fwya oedd pan fynnodd hi 'Maen nhw'n wahanol, Ilid, waeth gin i be ddeudi di!' Arun, felly. Achos dwi'n meddwl rŵan fod hynny'n wir, mewn ffordd. Ydw. Mi oedd magwraeth Arun yn wahanol, mewn gwlad wahanol, a mae rhai o'i brofiadau o yn wahanol iawn i fy rhai i. Mi o'n i'n gwbod hynny yn y dechra un, ond mi anghofiais am fod gynnon ni lawr o betha eraill yn gyffredin. Ffordd o fyw, synnwyr digrifwch, uchelgeision. Ond ella na wnes i ddim dallt ei ymroddiad, na, *ymrwymiad* fasa'n well gair – i'r teulu yn India. 'Chi be, dwi newydd gofio rhywbeth ddywedodd o am adael Glasgow. 'Roedd yn rhaid i mi ddod o'no, symud i Lundain,' medda fo, 'o Lundain mi fedrwn ddal awyren a bod adre o fewn y dydd. Ond yn Glasgow ro'n i gam arall ymhellach i ffwrdd.'

– Felly, mi roddodd eich Mam ei bys ar rywbeth?

– Do. Mi ddaru.

– A sut ydach chi'n teimlo ynglŷn â'ch mam rŵan?

– O. Wel, ar y naill law, mae hi'n anobeithiol. Wneith hi ddim newid. Ond ar y llaw arall, mi fues i'n meddwl am ei chefndir hitha hefyd. Mi gollodd ei mam ei hun yn ifanc – saith oed – ac mi ailbriododd ei thad yn fuan iawn wedyn. Dwi'n meddwl ella fod hynny wedi gadael ei ôl arni hi. Ac – wel, mi oedd hi'n poeni amdana i. Roedd gymaint â hynny'n amlwg.

– Ydach chi'n teimlo y medrwch chi dderbyn petha fel yna?

– Dwi'n meddwl y bydd raid i mi.

Saib, a deigryn yng nghornel llygaid.

– A rŵan dyma fam arall yn cyrraedd.

– Ia. Mae yna un peth arall dwi isio'i ddeud. Am fam Arun. Roedd o'n bnawn digon rhyfedd. Roedd Arun yn annifyr, ond doedd y plant ddim o gwbwl – roedd y ddau yn falch iawn o 'ngweld i, ond mi oeddan nhw hefyd wedi gwirioni efo Dadiji. 'Nain' – Mam eich tad – ydi'r ystyr. Mi aethon ni allan i'r ardd i gael te. 'Te neis,' meddai Maia, a rhyw sbarc yn ei llygaid. Ges i wbod pam pan ddois i yn ôl i mewn a'i chael hi wrthi'n tynnu'r llestri Wedgwood hynafol gawson ni'n bresant priodas allan o'r cwpwrdd fesul cwpan, soser a phlât. 'Ma'n *rhaid* i ni gal llestri gora heddiw achos ma' Dadiji 'di dŵad yr holl ffordd o India, a rwyt ti 'di dod adra.' Wel, be fedrwn i ddeud? Gadewais iddi eu cario allan a'u gosod ar y bwrdd bach ar y patio. Mi welis i

Geeta – dyna'i henw hi, er na fydda i byth yn ei ddeud o; osgoi defnyddio'i henw fydda i fel arfer – yn dal sylw arnyn nhw. Clywais hi'n dweud wrth Maia mor brydferth oeddynt, a bod rhaid bod yn ofalus iawn. Mi sbiodd arna i wrth ei siarsio; golwg gynllwyngar, wybodus. Mi fynnodd Maia ein bod ni'n defnyddio'r tebot aur a gwyn hefyd – am y tro cynta erioed, i mi fod yn cofio – a hi oedd yn cael tywallt y te. A drwy bant y benelin oedd yn crynu dan bwysau'r tebot mi welwn hithau'n gwylio. Wel, mi dywalltwyd y te. Yn ddidramgwydd. Mi yfon ninna fo, ac mi aeth Maia i chwara ar ei swing. A dyma mam Arun yn edrych arni ac yn deud, 'Mae hi mor debyg i fy chwaer Aruna. Yr un mor benderfynol.'

Cymerodd Ilid ei gwynt.

– Mi roth hynna ryddhad i mi, Hannah. Yn sydyn mi welwn Maia ddim yn unig fel fy merch i, ond fel un o lwyth Arun, yn tynnu ar ôl chwaer ei fam. Dim ots na wnaeth hi erioed ei chyfarfod hi.

*   *   *

– Dwi'n meddwl weithia, dywedodd mam Arun pan oeddynt yn clirio'r llestri swper, – mai mynd yn ddoctor i achub y teulu wnaeth Arun. 'Na chi Aruna'n marw'n ifanc o *meningitis*, pan oedd hi'n stiwdant, a'i dad efo'i glefyd siwgwr. A finna wrth gwrs efo'r galon wan 'ma.

Gwenodd yn ddewr.

– Ond ella mai job sy'n apelio at bobol glyfar ydi hi. Fo oedd y clyfra, wyddoch chi, y clyfra o 'mhlant i a'r clyfra yn ei ddosbarth bob amser.

*   *   *

– Ydach chi am 'i throi hi, Ma?

– O na' dw, 'ngwas i, dim eto. Dwi 'di drysu'n llwyr efo'r newid amser 'ma. A ma' 'na ffilm dda nes ymlaen. Cerwch chi.

Dyna fo, meddyliodd Ilid, doedd yna ddim posib cysgu ar y soffa, nac wrth gwrs yn ei llofft fach, na chwaith yn y llofft sbâr am fod Arun wedi ei llenwi â phob math o duniau paent, darnau o bren ac offer stripio lloriau. Roedd y pontydd yn llosgi'n braf tu ôl iddi. Doedd dim amdani ond mynd ill dau i'r llofft fawr. O leiaf, caent lonydd yno heb neb i dorri ar eu traws. Cododd ar ei thraed.

– Dwi am fynd i fyny. Nos da.

– Wedi blino ar ôl trafaelio, dwi'n siŵr. Nos da. Mi ofala i am y plant yn y bora, cofiwch.

Wrth gwrs, gwnaeth y cynnig hi'n wyllt yn hytrach nag yn ddiolchgar. Eisteddodd ar y gwely yn ei dillad. Clywodd ddrws y parlwr yn agor, sŵn y teledu'n chwyddo ac yna'n gostegu eto. Ei draed ar y grisiau.

Sefyll o'i blaen a wnaeth o.

– O leia mi gawn lonydd yn fa'ma.

– Dyna'n union be o'n i'n feddwl. Wnaeth hi ddim cysidro fod gynnon ni betha i'w trafod, dywad?

– Ella bod fa'ma cystal lle ag unrhyw un. Tybad pa ffilm ma' hi isio'i weld?

– Duw a ŵyr.

– Fu bron i mi nôl potel o wisgi a gwydra i ni.

– Pam na 'nest di ddim, 'ta?

– Dim digon siŵr os basat ti isio. A mi welis i dy fod di wedi gwylltio.

– Fedri di ddallt pam?

235

– Am fod Ma yma?

Saib. Yna siaradodd y ddau ar unwaith.

– Y funud yr es i, dyma chdi'n troi ati . . .

– Wnes i ddim gofyn iddi, Ilid!

– Wel, fedri di egluro pam y daeth hi 'ta? Rŵan, a dim ar unrhyw adag arall.

– Mi gyrhaeddodd mewn tacsi o Heathrow nos Sul. Dyna pryd ges i wybod 'i bod hi'n dod. Roedd y tacsi'n dal i ddisgwl, achos doedd ganddi ddim pres y wlad yma.

– Iesgob! Mi ddoth ar frys.

– Ond ofynnais i ddim iddi ddod. Mi ffoniais i hi o'r gwaith, do, pnawn dydd Gwener, ar ôl i ti fynd – ond soniais i ddim gair dy fod wedi gadael.

– Mae 'na ofyn a gofyn, meddai Ilid.

– Ilid, meddai Arun, – adre at dy fam es ditha hefyd, cofia.

– Ia, meddai hithau'n araf, – ma' hynna'n ddigon gwir.

Tybed a fyddai Maia a Deio'n dod i chwilio amdani hi mewn argyfwng?

– Ga i dynnu amdanaf?

– Dim eto.

Eisteddodd ar erchwyn y gwely wrth ei hymyl.

– Ilid, ro'n i newydd drefnu pythefnos o wylia o 'ngwaith. Doedd arna i ddim angen Ma. O'n i wedi penderfynu.

– Be?

– Basa fo'n llesol i mi fod efo'r plant. 'Sti be, ro'n i'n dal i feddwl fod Maia'n *mad* am sos coch.

– Mi oedd hi, tan yn ddiweddar.

– Ia wel. Dwi isio'r bwletin diweddara.

– Rêl doctor.

– Basa Ma'n falch ohona i.

– O mae hi!

Dechreuodd chwerthin.

– Chdi oedd y clyfra yn bob un dosbarth! Be ddoth drosta chdi i ddechra plastro a pheintio?

– O'n i adra, do'n. A gan 'mod i am fod adra tipyn mwy o hyn allan, doedd waeth i mi 'neud y lle'n brafiach ddim.

– Adra tipyn mwy, ia?

Cododd ei haeliau.

– Dwi am roi gora i'r fflat. Pan ddaw Sarwar yn ei ôl.

– Wela i. A deud y gwir, tra o'n i i ffwrdd, mi fues i'n meddwl am gymryd fflat fy hun.

– Dy hun?

– Efo'r plant.

– Dyna be wyt ti isio?

Doedd hi ddim eisiau'r cwestiwn yma; roedd o'n rhy fras ac yn rhy fuan. Roedd arni awydd chwarae â'r syniad, ei brocio o'i chaledwch newydd. Ond edrychodd ar ei wyneb. Roedd o'n bigfain, yn blentynnaidd o boenus, yn Ddeio, yn Faia.

– Naci. Dim dyna ydw i isio.

Stryffagliodd, a'r gweddill yn sownd tu fewn iddi. Gwthiodd hwy allan, y geiriau coch yn dripian.

– Chdi ydw i isio.

– O Ilid!

Cyffyrddodd yn ei dwylo.

– Mi wna i orffen efo Shama.

– Dwyt ti heb wneud?

– Naddo – wel, dydan ni ddim wedi gweld ein gilydd. Heb gael cyfle.

Cysgod o wên ar ei hwyneb.

– Dim yn hawdd, efo plant.

– Diffyg lle ac amser.

– Ia.

– Tyd yma 'ta.

Symudodd y ddau'n drwsgl at ei gilydd, fel cariadon dibrofiad.

– Dyma'r lle a'r amsar, ti'm yn meddwl?

*　　*　　*

Cododd Geeta ar ei thraed a chael strets iawn. Roedd ei chymdoges yn llygad ei lle, *champion* o ffilm oedd *Terminator II*. Digon o fynd, digon o sŵn. Dim peryg iddi glywed smic oddi wrthynt. Wrth ddringo'r grisiau'r holl ffordd i ben pella'r tŷ, meddyliodd am y milfed tro ei bod hi'n biti am hogan y Kumars. Roedd hi'n siŵr y buasai wedi gweithio. Priodi cariad wnaeth honno hefyd, ac mi glywodd si fod pethau'n o ddrwg. Ond dyna fo, dyma'r drefn yr oedd o wedi ei ddewis. Roedd hithau wedi gwneud ei rhan. Roedd yr hen blant bach mor annwyl, wir hyd yn oed yn anwylach nag yr oedd hi wedi breuddwydio. Thalai hi ddim iddynt fod heb fam a thad.

*　　*　　*

Y nos. Gyrwyr minicabs yn gorweddian yn y cadeiriau plastig du yn disgwyl am eu tro i ruo drwy strydoedd Herne Hill a Brixton, i gael canu corn mewn stryd *bourgeois* am ddau o'r gloch y bore; y clybiwr yn chwydu'n daclus dros ei ysgwydd, cyn mynd i chwilio am Fws Nos; yn tynnu ei sbectol rhag ei cholli a'i rhoi'n ofalus mewn poced tu fewn i'w siaced, lle na ddaw o hyd iddi am dri mis; y puteiniaid ifanc yn Kings Cross yn minsian i fewn i'r *Wendy Burger Bar* yn eu sodlau chwe modfedd, efo'u coesau noeth, a'r ringlets sy'n fwy seimlyd na'r tships; y babis yn mestyn eu breichiau ac yn agor a chau eu cegau i grio; y mamau'n agor un llygad; y nos; y goleuadau'n teyrnasu dros groesffyrdd diffaith, yn lliwio'r tarmac yn wyrdd, coch a melyn; y comin yn frwgaits a choesau, yn bigau a drysni, a'r dail yn gorffwyso, yn barod i ailddechrau anadlu'n groes i ni, i gymryd ein carbon deuocsid a gollwng ocsigen.

Ac ynghanol y ddinas, ynghanol y nos, Buddug yn fythol barod ar ei chert a'r adenydd mawr ar agor. Pam fod arni angen adenydd, a'r ceffylau yn ei thynnu? I esgyn, wrth gwrs, pan oedd y rhyfel drosodd a'r cyfan wedi ei golli. I edrych i lawr a gweld patrwm ei cholled, a rŵan, ganrifoedd yn nes ymlaen, batrwm ein bywydau ni.

14

– Mam fasa ora, *beti*. Mi glywis i hi'n deud 'i bod hi angen prynu neges yn y Stryd Fawr. A wedyn mi gawn ninna syrpreis, cawn. Ar ôl fy *nap*.

 – Ond Dadiji! Chi 'nath drefnu fo!

 – Ar dy ordors di, 'tê. Ewch yn fuan er mwyn i ti gael pori drwy'r llyfra llunia.

*   *   *

– Anna fydd yn torri eich gwallt, meddai'r dderbynwraig wrth Maia. – Mi ddaw atoch chi i gael sgwrs ar ôl iddi orffen efo'i chwsmer.

Roedd gwallt Anna wedi ei dorri'n gwta gwta a'i liwio'n felyn fel gwair. Oddi tano roedd ei hwyneb yn ifanc a'i gên yn gadarn.

– Y peth cynta sy raid i mi neud, meddai wrth Ilid, – ydi gneud yn hollol siŵr nad oes gynni hi ddim llau.

– O!

– Dwi'n gweld dega efo llau bob wsnos, a s'gin 'u mama nhw ddim syniad. Ond fedra i ddim cymyd y risg, dach chi'n dallt, efo fy nghriba a sisyrna.

Cropiodd bysedd bach caled Anna dros groen pen Maia gan wahanu'r blew ac archwilio'n ddyfal. Yn y gwydr edrychai Maia'n dawel ei meddwl.

– Na.

– Ydi hi'n iawn?

– Yndi. Rŵan 'ta – be 'di dy enw di?

– Maia.

– Maia, wyt ti isio i mi dorri dy wallt di'n fyr?

– Yndw.

– Ar ôl i mi 'i dorri fo, fedra i mo'i sticio fo yn ôl. Ti'n dallt hynny?

– Yndw, siŵr.

– Ol-reit 'ta. Wyt ti'n gwbod pa fath o steil wyt ti isio?

– Dwi isio bòb cwta.

– Wyddost di be ydi bòb, Maia?

– Mam, dwi 'di sbio ar y llyfra! Dwi *yn* gwbod be 'di bòb!

– Dwi ddim yn gweld bòb yn gweithio cystal efo gwallt cyrliog. 'Swn i'n cysidro ei adael o hyd ysgwydd, neu ei dorri o'n gwta, fel cap o gyrls.

240

– Ond dwi *isio* bòb!

Rhoddodd Anna ochor ei llaw yn erbyn clust Maia.

– I lawr i fa'ma . . .

Symudodd ei llaw i lawr at ei hysgwydd.

– ne i fa'ma?

Sugnodd Maia ei gwefus.

– P'run fasa ora, dach chi'n meddwl?

Bagiodd Ilid yn ei hôl a suddo i fewn i un o seddi ffug-ledr y *salon* i wylio'r gorchwyl. Aethpwyd â Maia i olchi ei gwallt; daeth yn ei hôl a'i gwallt yn llathen ddu wlyb ar y lliain tenau. Daeth Anna i'r golwg eto a rhoi pinnau i ddal rhai o'r tresi i fyny. Estynnodd ei siswrn a dechrau torri. Syrthiodd y cudynnau ar draws ei gilydd. Cyrls, tresi, blew, yn mynd heb ffeit, yn chwyrlïo a disgyn yn lluwchfeydd o gwmpas y gadair lle'r eisteddai Maia'n dalsyth a digynnwrf. Storm o wallt – rhithiau Grace ac Aruna, Geeta ac Ilid – a'r pen bach yn dod yn rhydd oddi wrth gadwynau'r gwallt, yn osgeiddig ac annibynnol ar ei hysgwyddau.

– Ma' gynni hi lot o wallt, sylwodd Anna. Efo gwallt cyrls y cwbwl fedrwch chi 'neud, a bod yn onest, ydi torri i ddilyn y droell. A 'na i'm trafferthu efo jèl na *mousse*, achos dyna'i natur o.

Agorodd Ilid un o'r cylchgronau a rhythai wynebau hardd, hy y modelau arni. Efallai y dylai ddilyn esiampl Maia. Cael trin ei gwallt. Gweddnewid. Byddai'n siŵr o fod yn destun sylw, wedi i'r tymor ddechrau. Medrai ei liwio, troi'n ddu fel y frân, neu'n goch tywyll awgrymog, neu'n felyn. Pam lai? Roedd hi'n amau ers tipyn mai rhoi lliw i'w gwallt yr oedd Hannah. Roedd o mor olau, rhwng melyn a llwyd, lliw llawr coed wedi ei stripio. Rhywbeth ar y ffin rhwng hen ac ifanc, naturiol ac artiffisial.

Eu sesiwn olaf. Roedd Hannah wedi mynegi ei barn nad oedd ar Ilid angen mwy o sesiynau am y tro. Byddai ei hamser hefyd yn brinnach o hyn allan. Yn hytrach na bod yn falch, roedd Ilid wedi teimlo.

– Rydych chi'n dawel iawn.Ydych chi eisio dweud be sy ar eich meddwl?

– D'wn i'm . . . d'wn i'm a fedra i.

Edrychodd Hannah'n graff arni. Ac wrth gwrs mi welodd y dagrau'n dianc ac yn powlio i lawr gruddiau Ilid. Mi fuasai unrhyw un arall wedi mynegi syndod, wedi cyffwrdd â'i llaw, rhoi braich am ei hysgwyddau. Ond dim Hannah: doedd hi ddim yn cael ei thalu am y tynerwch hwnnw. Estynnodd am y bocs hancesi a'i roi wrth ymyl Ilid. Gwthiodd hithau o draw. Teimlai'n gignoeth, ei thrwyn a'i llygaid yn rhedeg, ond doedd hi ddim am bowdro ei theimladau.

– 'Di'r amser ddim bron ar ben, Hannah?

– Na, dim eto. Mae gynnon ni ddeg munud ne fwy.

– Deg munud! Deg munud! Pres ac amser, dyna be sy'n cyfri! O'n i'n mynd i ddeud 'mod i'n neb i chi. Ond cwsmer ydw i, cwsmer sy'n talu.

– A be dach chi isio bod, Ilid?

Fedrai hi ddim dweud y cyfan.

– Dwi isio bod yn rhywun sy'n cyfri.

– Mi ydach chi'n cyfri. Mi fydda i'n meddwl amdanoch chi wedi i chi fynd. Mi fydda i'n sôn amdanoch efo fy nghyfaill – hwnnw sy'n goruchwilio fy ngwaith i. Sut fedra i ddeud wrthoch chi? Rydach chi'n cyfri fel y mae disgybl disglair yn cyfri i athrawes.

Roedd hyn yn well na dim. Ond eto . . .

– Oes yna fwy, Ilid?

Chwythodd Ilid ei hanadl allan drwy ei thrwyn. Doedd waeth îddi ei ddweud ddim. Ei ddatgan fel cri utgorn yn galw'n ffôl ac yn unig.

– Ol-reit. Dwi isio bod fel merch i chi a dwi isio i chi fod yn fam i mi.

Yn od iawn, wedi ei ddweud, swniai'n gwbwl annaturiol. Yr utgorn yn fflat, y nodau'n anghywir. Teimlai Grace yn bresenoldeb du, solat tu ôl iddi, yn ffromi wrth glywed y fath beth, a'i phrotestiadau'n ffrwtian a phoeri nes ymdebygu i – sŵn chwerthin! O'r ochor arall daeth yn ymwybodol o gynhesrwydd mam Arun fel talp o heulwen ar ei hysgwydd. Yn araf, meddai:

– Pan o'n i'n hogan fach, choeliwn i ddim mai merch Mam a Dad o'n i. Mi ddeudais i wrthi hi'n saith oed mai merch y frenhines oeddwn i go iawn ac y dôi hi i fy nôl i ryw ddiwrnod.

– Ond ddaeth hi ddim, naddo, Ilid?

– Naddo. A dyma fi rŵan . . .

– Ond mi oedd yn rhaid i chi ei ddeud o.

– Oedd. Roedd yn rhaid i mi ddeifio reit o dan y dŵr i gael gafael ar honna, a'i thynnu hi allan o'r mwd ar y gwaelod. A wyddoch chi be? Hen esgid oedd hi!

Roedd hi'n amser talu. Ymbalfalodd Ilid yng ngwaelodion ei bag am ei lyfr siec, a'i llygaid yn dal ar Maia.

– Maia, rho ditha rhain i Anna a deud diolch. Wir, mae dy wallt di'n edrach yn ddel! Cymerodd Maia y ddau ddarn punt, ac i ffwrdd â hi. Gwelodd Ilid Anna yn pocedu'r ddwybunt ac yn gwenu ar Maia, gan nodio ei phen arni hithau.

Ar y funud olaf roedd hi wedi rhoi ei llaw ar ysgwydd Hannah a phlygu ei phen i roi cusan ar foch y ddynes hŷn. Croen tenau ei gwefusau ar ei chroen hithau, yn batrymog ac elastig fel deilen newydd.

– Mi ga i ddod yn ôl, os bydda i angen?

– Cewch.

– Dwn i'm be ddeudith Dadiji, meddai Ilid wedi iddynt adael y *salon* a'i berarogl o gnau-coco.

– O, dwi'n gwbod.

– Wyt ti?

– Yndw. 'Mod i'n edrach yn union fel hogan bach o India. Dyna be ddeudodd hi'r noson gynta gyrhaeddodd hi, pan oedd hi'n brwsio 'ngwallt i. Mai gwallt cwta sy gin genod bach yn Delhi rŵan.

– Ia?

– Ia wir.

Cerddodd y ddwy i lawr y llwybr am adref.